烈焰

閱讀札記 I

楊照　著

序

我一直沒有忘卻，在我的身體裡，曾經居留過一個詩人，至少是一個詩意與詩性的靈魂。我一直沒有忘卻，年少時曾經終夜不昧、忽忽如狂，只為了追求某些片段錯亂的意象、某些可以抗拒秩序創造幻影的字行。那時候，深信這個世界上最美好、最動人的情感，只能在撥開、摧毀了表面的條理之後，才能偶然碰觸得到。那時候，最不想寫的，就是結構井然、有條有理的文字。

一直沒有忘卻，正因為這樣的少年時光倏忽而來，又倏忽而去。在我還沒有充分準備的情況下，社會與成長的壓力快速地使我改變了。突然之間，我發現自己無法承擔維持如此詩意、詩性靈魂的輕盈，一方面是厚重的學術探究壓著我，另一方面還有沉重的社會啟蒙理想壓著我。

背棄少年時對於剎那靈光的癡迷，大學畢業之前，我已經開始轉而書寫說理清晰、雄辯滔滔、依循著理性與邏輯精神的文章了。然後，參與政治上的反對運動，接著投身新聞工作，再到專注進行經典的解讀說明授課，使得我的文字、乃至言說風格，愈來愈「有理」，也愈來愈講究條理與結構。

近年來，多次聽到朋友善意的驚訝稱讚：「楊照，你講話不需經過修改，逐字錄寫下來就可以是一篇完整的文章了！」我感激朋友的謬讚，同時私心底在無奈苦笑著。這意味著，我連在隨口說話的場合中，都逐漸喪失了破碎、斷裂、混亂的可能性了。

但我真的沒有、不可能徹底拒絕破碎、斷裂、混亂的誘惑，我真的無法否定碎裂、斷裂、混亂其實有其魅力，更有其在生活中存在，攪擾秩序的高度必要。

因而，這些年來，我一直想要寫點稍微「散」一點，不要那麼條理分明的文章。我知道自己的限制，不可能完全擺脫理性思考的習慣，但身體裡卻不時湧動著穿越年少記憶而來的衝動，試圖鬆解那由理性主宰的結構與秩序。

一個努力的方向，是自覺地在文章中置入各式各樣的故事，盡量「即事論理」，不要抽象地、空洞地說理。另外一個努力，則是自覺地將較長、規模較大的文章予以打散，朝向「札記」文體靠攏。

「札記」，是片段靈光的乍然湧現。「札記」，是一種順流而下，單一動能，沒有甚麼迂曲迴繞安排的體裁。「札記」建立在單一事件或單一感受或單一觀念的基礎上，只求將這事件、感受、觀念說完，就自然結束，不多生枝節。「札記」是作者在一坐一念之間就隨手記下寫完，因而也理應讓讀者在不間斷的瀏覽中，便將一篇前後讀畢。「札記」可以傳遞各種不同口味，然而不管是酸、甜、苦、辣或狂喜、刺痛、瘋魔、靜謐、陰闇、聖亮，都只含藏在一口分量之間，一口能給多少，就是多少。

「札記」是我能重拾少年幻夢的中年路徑。而「閱讀札記」又是最貼近我日常生活，最自然最不刻意的一種「札記」形式。

我是個「閱讀者」，不折不扣的「閱讀者」。這不只意味著我愛讀書、每天花費大量時間讀書、所做的工作也都和讀書有著密切關係。這還意味著從讀書中培養的態度，滲透到我生活中的每一個面向，決定了我和這個世界間的關係。

讀書，接觸文字最特別之處，在於文字是抽象的，文字不是具體、直接訴諸我們的感官的。我們無法簡單、被動地接受文字，必定要主動地將抽象文字轉譯為感官感受。同樣的文字，不一樣人來讀，會有不一樣的感受。甚至同樣的人，在不同的時間、情境下，都會因為動用了不一樣的經驗、記憶，也會讀出不一樣的感受。

閱讀，是叫喚出自身體驗與想像，主動地參與創造意義的過程。閱讀的習慣與態度來自文字，卻不限於運用於文字上。

我讀文字，我也讀音樂、讀電影、讀照片畫作、讀空間、讀街道、讀人、讀世界，在這多重閱讀經驗中獲得最多至高的樂趣。我將這樣的體會與樂趣，寫成了一則一則的「閱讀札記」，編輯在這本書裡。這樣的形式，內在精神上，雖然仍有著一定的「順序」，卻希望能降低「結構」的作用。每一篇文字，只用數字聯繫起來，前後的順序有其一定的安排，從第一篇讀到最後一篇，必然有彼此呼應的趣味，不過每一篇的核心「靈光」，卻畢竟都是獨立存在的。

書名取為《烈焰》，指的是我衷心相信人和書、和閱讀間應有的一種適切、愉悅關係——當我們對書、對書中含藏的巨大人類文明經驗與智慧，熱情以待時，被熱情對待的書的內容就將燃放出熊熊烈焰，回頭將我們的生命、我們的感情，燒得更炙旺，燒出足以感染其他人，也感染整個社會與時代的溫度來。

1

想要聽老一點的東西，因為老一點的音樂裡，才有夠新的刺激。

有一種音樂，三〇年代曾經風靡一時的，叫「芝加哥爵士」。和「紐奧良爵士」呼應對照，「芝加哥爵士」是白人音樂家模仿黑人演奏爵士樂，通常加上些不那麼黑人的樂句與節奏而形成的音樂。沒有「紐奧良爵士」那麼清楚、突出的個性，多加了一點溫柔與包容。

「芝加哥爵士」存在的時間很短，早在這個名字消失前，音樂就先模糊曖昧了。「芝加哥爵士」的樂手中，白人比例慢慢降低了，然後，「芝加哥爵士」的樂手紛紛搬到紐約去，被紐約搶奪了其基地，而所有事物進了紐約就都混雜了，就都變成一種紐約式的彈性變貌。

「芝加哥爵士」搬去紐約，原因之一是紐約有一個「芝加哥音樂」的大支持者。米爾特・蓋伯勒（Milt Gabler）開了一家唱片公司，專門灌錄爵士唱片，尤其愛找「芝加哥爵士」的樂手來錄音。這種音樂成了他唱片公司

Commodore 的主要招牌。

我手上有一九九〇年重新壓版發行的 Commodore 精選集。一共三大本，收了三十多張唱片。第二集裡，有一首〈A Good Man Is Hard to Find〉，Kaminsky、Spanier、Russell、Stacy 四個人玩得起勁，熱鬧不下大樂團的演出。歌名叫〈好男人難得〉，不過若是改成〈好音樂難得〉說不定更貼切些。因為這首曲子灌錄時，一九四〇年，用的還是老式七十八轉規格，三十三轉尚未取而代之。七十八轉唱片一面頂多只能收錄五分鐘的音樂，四個人飆音樂，唱出旋律、規矩合奏，到散拍試驗到分別即興演奏，結果一錄錄了十七分鐘才結束。只好將原本一氣呵成的樂曲分在兩張唱片四面上。

要聽這首樂曲，以前的人要俯身在唱機上置放唱片並定唱針四次。離開唱機回到座位上，聽了一會兒，音樂就在某個懸浮未完的音符上停歇了，必須再起身朝唱機所在的方向去。

音樂難得。想像如此儀式般的過程，顯然音樂不會成為工作或吃飯時的背景，還有，幾度中斷時，耳朵靜了，腦子裡卻還有音樂回響，等待被接連下去，那種跌宕的趣味，古老，卻又如此新鮮。

2

乍聽之下，這歌那麼好聽，好聽到讓人直覺相信，一定是首聽過就算，下個星期就不會想要再聽的歌。

歌名叫〈Will You Love Me Tomorrow〉（明天你是否依然愛我），國三那年，我很無聊地在唱片行找過收錄這首歌的各種版本，確認它們都沒有在歌名最後加上問號，這是一個沒有問號的問句，卡洛金（Carole King）悠悠地唱著、問著：「Tonight the light of love is in your eyes /But will you love me tomorrow」，我抓住歌名裡沒有問號這件事，緊緊抓住，因而覺得自己在歌聲中聽到的，不是疑慮疑惑，而是更宿命一點的意念，其實她已經透徹知道答案，但正因為知道答案，所以無法停止詢問，想要靠詢問讓自己死心？或許是要靠詢問讓自己保留珍惜享受今夜？

「Is this a lasting—tre-ea-sure /Or just a moment's—ple-ea-sure」這兩句歌詞一直在我腦中徘徊，一直到歌詞淡出消失了，後面的音樂浮上來，最後歌詞和音樂重新混合，每一個字，甚至每一個音節似乎都和音樂的高低、速緩、強弱變化，親密靠攏，語言和音樂化身成今夜纏綿的兩具肉體，比肉體形影更讓人臉紅的暗喻，同時是感官的愉悅，也是可以收藏的寶物。Pleasure 和 treasure 在歌詞與音樂的關係中統合了，讓我們同時擁有。

下個星期，要月考了，我還在聽〈Will You Love Me Tomorrow〉；下個月，要期末考了，我也還在聽〈Will You Love Me Tomorrow〉，聽了一次又一次，不只歌詞、旋律，不只 Carole King 的每一個呼吸轉折，連應該是背景的小提琴和大提琴聲音，每一個伴奏和絃變化，我都記得了。明年，上了高中，我竟然還在聽〈Will You Love Me Tomorrow〉，而且找到資料發現這首歌完成於一九六〇年秋天，Carole King 忙著照顧六個月大的嬰孩，她的詞曲作者傑瑞葛芬（Gerry Goffin）一邊還在化學工廠上班，兩人兵荒馬亂，在半夜兩點完成了錄音，走出錄音室，今天已然結束，明天早早到了。

明天可靠嗎？管它的，反正今天我們有歌。

3

三十多年前，在士林文林路上，一排賣盜版唱片的店家，各自用擴音喇叭對著街上唱歌。唱的大部分都是美國流行排行榜上當紅的曲子。彼此穿雜干擾的樂聲中，突然有一個聲音越過一切，進到我耳中。那是薩克斯風的聲音，全世界最特別、最突出、最清晰明白卻也最神祕迷霧的聲音。

從聽見薩克斯風聲音的瞬間，我就停下腳步，遠遠地，透過距離，透過所有的吵雜與熱鬧，視覺與聽覺上所有的混亂訊息間，追索並試圖捕捉薩克斯風的樂聲。那種經驗帶來一種特別的，無可取代的滿足。真實的欺瞞，或說，欺瞞的真實，覺得和那聲音間有著親近的關係，那聲音，那隻薩克斯風，是專門為我演奏的，只有我聽到了他的上上下下，他的流淌停頓，他的悲歡，美麗與哀愁，因哀愁而美麗，因美麗而有無法承受的哀愁。

然後一步步移近那家專門賣爵士唱片，也是整條街上通常客人最少的唱片店。每走一步就接近一個謎題的揭曉，也就接近一份溫暖。這是誰的薩克斯風？Young（李斯特・楊）、Hawkins（柯曼・霍金斯）、Coltrane（約翰・柯川）還是Stan Getz（史坦・蓋茲）？薩克斯風最像人講話，不是說聲音接近，而是薩克斯風最容易辨識，這個人那個人，聽幾句話你就知道這是物理老師，不會是英文老師，更不會是工藝老師在說話。

分辨出來了很高興，分辨不出來也沒關係，會有期待興奮的感覺。像是那一次，在迷惑中一步步走過去，因而認識了Charlie Parker（查理・帕克），〈The Jumpin' Blues〉（跳躍的藍調），他甚至不是主角，只是Jay McShann（傑・麥克湘）樂團中一個間奏中才有機會表現的小角色，但一聽就知道，人們將只會記得Charlie Parker，他那種將薩克斯風變成動機樂器的吹奏法，至於Jay McShann？唱片店老闆聳聳肩，懶得理會我的問題。

最過癮的，畢竟還是聽到薩克斯風第一個音符時，自己的嘴角就直覺無聲地說出：「Sonny Rollins（桑尼・羅林斯）。」然後，我就可以說服自己，這不是個冷酷、寂寞的世界。

4

對我而言，小提琴是個嚴格紀律的樂器，相對地，鋼琴卻浪漫自由。這種印象跟樂器本身沒有關係，而是來自我的經驗偶然。小提琴是我最早練習的樂器，拿起琴來，同時一定擺好譜架，放上一本教本，戰戰兢兢地聽著修著那彷彿永遠都不會對的音準，想像去老師家上課在哪一段會受到怎樣的指責。小提琴必須要「對」，對了才可以。

鋼琴呢？讓我真實感受到鋼琴音樂，而不只是站在牆邊一個黑色神祕樂器的，遲至高中時，從包覆耳朵的大耳機裡，傳來了Art Tatum（亞特・泰坦）

的演奏。我一直以為爵士樂就應該是爵士樂團演奏的，幾種樂器彼此呼應對唱，然後大家再輪流冒出頭做即興表演。

Art Tatum 不是，他大部分的錄音，最棒的錄音，都是自己一個人彈著鋼琴，而且很奇怪，裡面沒有在公共場所表演的熱鬧趣味，比較像是孤零零一人一琴在一個密閉有限的空間中，鋼琴的另一端不是觀眾不是端著酒杯的侍者，而是一面大大的窗戶。

我可以一遍又一遍地聽〈Moonglow〉（月光），年少的心驚異地感受 Tatum 表現的就不是 Moonshine，而是 Moonglow，中文無法分辨出來的差別，在音樂中如此明白。皎潔發亮，以至於彷彿發出金屬聲響的一種特別的月光。

我的書桌當窗，卻看不到月亮，被窄巷對面別人家的房子擋住了。但配著 Tatum 的琴聲，我可以輕易自然地想像那種明月夜，不一定要是滿月，夜空清朗，世界靜好，突然之間一切危險與威脅都遠離了，就看見月光從月亮有限的形體中盈溢出來，那就是 Moonglow。

那是一九三四年的月光，Tatum 抬頭從鋼琴那端窗口看到的月光，兩次世界大戰間，經濟大蕭條稍稍減緩壓力，難得的空檔的平安訊息，越過四十多年的時間，神奇地傳到少年的我的生命裡來，讓我體會了一種前所未有的，對這個世界盲目的信任與喜愛。

多年之後，每次對世界有了不安騷動的疑沮，我都還是找出唱片來，再放一次 Art Tatum 的〈Moonglow〉，然後，再一次。

5

第一次聽〈Summertime〉（夏日時光），唱的人是 Sidney Bechet（席尼・貝雪）。會記得清楚，因為那是個台北下著滴滴落落冬雨的日子。剛搬家，搬進了一個永遠瀰漫潮氣的房間，感覺遠離了長大的那個吵雜得讓人有安全感的環境，孤伶伶地準備即將到來的高中聯考。

還好，聽到了〈Summertime〉，帶來不只一點點的溫暖。想起上一個夏天，初夏時去參加中學運動會，颱風將來未來之際，靠著順風幫助，創下了自己練跑以來最棒的成績。更重要的，想起下一個夏天，一個沒有作業沒有考試壓力，可以任性盡情讀書打球聽音樂的神妙日子。下一個夏天，聯考將被拋在時間的那一岸，誰也回不去的那一岸了。會考上哪個學校？管他的！

可是沒想到下一個夏天真的到來時，最熱最熱的一個下午，我竟然在另一捲爵士錄音帶裡聽到別人唱的〈Summertime〉，聽得背脊發涼。滄桑的女聲唱的，顯然不是現實的夏天，而是從前、回憶、褪色、鬼魅，一個不願記得卻又擺脫不掉的夏天，一個流浪無家可歸的夏天。那是，還有誰呢？Billy Holiday（比莉．哈樂黛）。

多年之後，讀到 Holiday 的傳記，裡面說她曾經拒絕邀請參加蓋希文（George Gershwin）歌劇《乞丐與蕩婦》（*Porgy and Bess*）的演出，因為無法忍受必須夜復一夜每演出一場就要唱一次〈My Man's Gone Now〉（我的男人走了）。「太哀傷了，那是人類唱過的最哀傷的歌。」

考上高中那年夏天，我當然還不能理解 Holiday 從生命絕望深淵中升上來的哀傷，但我記得了蓋希文這個名字，記得他能夠做出最溫暖又最寒涼的歌曲，而且那溫暖與寒涼都在同樣一首歌裡。我不會寫歌，但我立意要嚐試成為一個詩人，於是我反覆試驗著，如何能寫一首詩，對一些人來說最是甜美，讀在另外一些人眼中，卻又再哀傷不過。我想我對詩、對於文學、對於詩與文學的追求，確實有了不一樣的看法，當 Bechet 和 Holiday 的歌聲同時在腦中一左一右或一前一後響起時。

6

給我〈馬賽進行曲〉（La Marseillaise）吧！當然不是一般隨便的演奏，也不是柴可夫斯基在《一八一二序曲》（*1812 Overture*）中和〈天佑吾皇〉（God Save the Tsar!）穿插出現的段落，我要的是獨一無二的 Django Reinhardt（強哥．萊茵哈特）的吉他演奏。

三十年前瘋狂練吉他的年代，讓我開始「尊敬」吉他這項樂器的，是唐麥克林（Don McLean），尤其是〈文生〉（Vincent），那首歌頌並哀悼梵谷的曲子，吉他音樂本身像是在時間中呼應梵谷的畫，潑灑著既熟練又自由的顏彩。然後，有一天，突然在「功學社」的譜架上，看到一雙奇特的眼睛，從一個黑色臉孔上直盯著我看，那是 Wes Montgomery（魏斯・蒙哥馬利），我沒聽過的名字，翻開樂譜，我的心開始狂跳，是嗎？這是吉他音樂嗎？真的，原來我還沒有真正認識吉他這個樂器，雖然當時離開始碰觸吉他已經一年多了。

這樣的經驗還沒有完。幾個月後，一個大熱天的下午，我戴上大耳機，播放剛剛買回來的錄音帶，本來以為只能存在於傳說中的一九六九年 Woodstock（胡士托）音樂會現場錄音。聽到一個段落，暑氣全消，不，是整個現實世界同時消失了，只剩下耳朵裡 Jimi Hendrix（吉米・罕醉克斯）用吉他飆射出來的美國國歌。

唉，原來吉他也可以這樣，那還有什麼樣的音樂是吉他無法創造的？吉他萬歲，Jimi Hendrix 萬歲。不過，奇怪的，這樣讚嘆著的同時，反覆一再聽

Hendrix，腦袋裡卻有個角落，像是藏著小石頭般一直刺擾著我。

我終於忍不住起身，順著直覺，從架上拿下了一捲錄音帶。Django Reinhardt，那個倒楣的吉普賽吉他樂手。沒受過正式教育，幾乎不識字，也沒有正式住所，他睡的流浪車隊著火，燒掉了他的整隻左手，他只好從頭學習只用三根指頭按弦彈吉他。我知道他，知道他後來偶然聽到一張 Louis Armstrong（路易．阿姆斯壯）的七十八轉唱片，他守在唱機邊，淚流滿面高呼：「我的兄弟！我的兄弟！」從此開始在法國彈奏美國式的爵士樂。

在那之前，我一貫認為 Django 太平常、太甜了。忽然，我卻聽到了 Hendrix 的美國國歌裡，有著 Django〈馬賽進行曲〉的味道；忽然，在沒有任何證據的情況下，我相信 Hendrix 一定聽過 Django 的音樂；忽然，我重新聽見了過去沒有聽見的 Django，在他的音樂聲中，幾乎要同樣狂呼出：「我的兄弟！我的兄弟！」

1

那是哪一年的事了？屈指算才算得出來，高中一年級，一九七九年的春天，錄音卡帶相對還是新鮮的機器，我剛剛擁有一台可以放在房間裡，自己的錄音機，更神奇的是配備了一組耳機，那種有兩個大罩子將耳朵完全蓋住，像是雪地禦寒配備的耳機。

開始聽爵士樂，不是很流行的一回事。正因為不流行所以有吸引力。那個年紀，對周遭大家都做的事，有一種特別的敵意，盡量閃開，去找不一樣的東西，倒也不是要對別人炫燿自己的不一樣，毋寧比較接近是成長中對現實世界的賭氣吧。

忘了怎麼開始聽 Ella Fitzgerald（艾拉・費茲傑羅）的，她的聲音很親切，聽著聽著一恍神，你就不覺得在聽表演唱歌，而像是家人在耳邊無心機的嘮叨。沒多想什麼，每次去士林窄巷裡更窄的唱片行，就從架上挑一捲 Ella 的卡帶。突然間，下一次進去唱片行，年紀大概也沒比我大多少的老闆，從櫃檯後面起身，挨近過來將一捲卡帶遞給我。「聽聽看吧，這是 Ella 的師妹。」就是他低聲說的話。

卡帶上沒有印刷封面，只有原子筆手寫小字「Anita O'Day（安妮塔·歐黛）」，而且那卡帶不要錢，是老闆自己拷錄的。

回家將卡帶放進機器，戴上耳機，第一首傳出來的歌是〈Ten Cents a Dance〉。一支舞一毛錢。我曾聽過 Ella 唱這首歌，也對照看過卡帶上附的歌詞。然而，多麼奇怪，以前從來沒有特別感受的這首歌，由 Anita O'Day 唱來，立即讓我背脊發涼，有一種悲哀，清清淡淡卻明明白白，旋律轉著，後面大樂團的銅管熱鬧行進著，中間卻混了一層鋼琴的聲音，和歌聲悄悄應和著。別人都在歡樂跳舞，只有歌聲與鋼琴壓抑地滄桑著，因為那舞，一支舞一毛錢，是賣的。而且應該是無奈的便宜賤賣吧。

年少的我，隨著滄桑了。少年的滄桑，從別人的生命裡學來的滄桑，有某種長大老去後現實滄桑就再也不會有的東西，某種同情的溫柔吧。

找出 Anita O'Day，追懷提醒自己曾有過的溫柔，不能忍受一支舞一毛錢，不能接受什麼都賣、什麼都買的溫柔與正義情懷，奇特的結合。

8

在一般的意義上，「中年」指的就是人走完了「青春」的階段，認命了、死心了，進入一個相對黯淡、背對陽光朝向陰影的階段。不過，換從另一個角度看，「中年」卻也意味著，終於，我們有機會真正明白「青春」是怎麼一回事。

活在青春裡，生命充滿了躁動的變數，我們應接著現實中的種種刺激與誘惑，或自覺或被迫地隨時試驗著自己究竟是個什麼樣的人？喜歡什麼厭惡什麼？愛情、道德與品味的極限何在？我們猶豫游移，我們反省後悔，我們走過了卻又恨不得能夠繞回去，我們明知時移事往前塵難追但總不甘心不接受一切已經來不及了。那是青春，混亂與疑惑，必定犯錯卻甚至來不及面對錯誤真心一哭的年代。

於是中年就代表了：總算，我們認識了自己，願意誠實平靜看看生命之鏡中倒底顯現出什麼樣的容顏。而那面突然浮掛在眼前的生命之鏡，就是以對於青春往事的回憶紀錄打造而成的那場叫青春的電影，或那本叫青春的書，我們讀完了。我們不需要再隨著情節而焦躁激動，因為結局已經確確實實掌握在我們手裡。於是，我們可以開始重看一遍，可以重讀。

所謂中年，對我而言，就是歲月給了我們特殊的資格，可以選一張舒服的躺椅，對著逐漸西斜變紅的太陽，把叫青春的那本書，打開重讀。重讀中，本來的內容有了完全不一樣的分量輕重，在結局揭曉之後，劇情主線變得沒那麼重要、更沒那麼吸引人了；相對地，許多以前認為無關緊要的細節，回頭看，卻如此有趣、如此感人、如此深刻。

這是千真萬確的弔詭，只有到了中年，人才能開放地、全幅地了解並享受自己的青春。青春中人永遠不會明白青春是怎麼一回事，不管你有多敏感、有多聰明。換個角度看，進入中年而不整理重讀自己的青春，那就既對不起青春，也對不起中年了。

9

「死亡不是人類經驗。」這是維根斯坦（Ludwig Wittgenstein）的名言，長久以來讓多少讀到這句話的人感到凜然一驚。

不是說人必有死嗎？死亡是每個人必然要經歷的，維根斯坦在胡說些什麼？再想想，維根斯坦才是對的，死亡是經驗的終點，死亡是一切經驗的結束，還有經驗人就還活著，就尚未進入死亡，死亡了就沒有經驗，在那個臨界點上，死亡確實站在人類經驗的彼端，不是人類經驗的一部分。

換句話說，沒有人真正經歷過死亡，尤其沒有人能夠傳遞死亡經驗。照理說，那我們就應該將死亡這件事從人類經驗排除出去了？但，做得到嗎？維根斯坦直言教人凜然的另一個原因在：提醒了我們，原來那麼多關於死亡的描述、思考、說明，其實都是外於經驗的想像與臆測。

我們不能經驗死亡，不能真正碰觸死亡，我們能做的，其實只是被關於死亡的種種想像與臆測包圍。

另外一個類似的主題，更明確地從來不可能是人類經驗的主題，是永恆。不斷流淌下去沒有終點的時間，絕對沒有任何人經驗過，人的存在如此有限，人的意識與經驗能夠占有的時間如此短暫，人，離永恆很遠很遠。

但是這樣再明白不過的事實，卻阻止不了人思考永恆、想像永恆，也無害於人從思考永恆、想像永恆中獲取獨特的生命感受。意識到永恆，願意去思考永恆的人，儘管他跟所有人一樣無緣於經驗永恆，他的生命感受，卻會因為思考、想像，而和從來不在乎永恆為何物的人，大不相同。

在人類的文明歷史產物中，最接近永恆，不斷與永恆抗衡逗弄的，毫無疑問，一定是書。單一的、具體的書，和其他東西一樣容易毀壞、容易消失，可是奇怪的，具體的書毀壞消失了，書所承載的內容，卻可以完完整整，不受物理性的限制，繼續傳留下去。

書籍本身無法抗拒時間趨近永恆，然而書的內容卻可以。只要時間存在，而且人類存在，不管物質生活如何變化，不管書的形式如何改變，許多經典書籍的內容就會繼續存在。

這是為什麼閱讀經典的另一項理由，我們藉閱讀摩娑原本無形無色的時間，感受超越時間的一點逗弄靈光，在靈光中碰觸永恆。

10

閱讀是一種源自於書籍，卻不限於書籍的人類美好行為。

我們閱讀書籍，然而我們也閱讀繪畫、閱讀雕刻、閱讀音樂，還有，閱讀人。

當我們「讀一個人」，意味著不只是看看他，認識他，而是要深入理解與他相關的種種。什麼時候，我們會不只看看一個人，點點頭跟他打個招呼，卻會想要「讀一讀」他呢？顯然，第一，我們從芸芸眾生中挑出這個人，對他產生了最高度的興趣；第二，我們覺得這個人跟我們的生命，有某種特殊親近的連結。

需要用心時，我們就「閱讀」；希望有些什麼知識或經驗，可以觸動我們的靈魂時，我們就「閱讀」。從閱讀書籍來的態度教我們，要放慢速度，同時放開感官的敏銳接收範圍，我們才有辦法專注地對待格外重要的事物，也才有辦法讓外界外來的東西，進入自己，變成自己生命的一部分。

我們常習慣性地以為，讀書動用的就是視覺。我們是用眼睛看書，然而只動用眼睛的話，我們看了書，卻沒有讀到書。我們跟書之間的關係，也有很多種，翻翻看看，不等於閱讀。

唯有啟動了所有的感官感受，尊重地先願意視書籍為一個獨立且豐美的世界，讓文字紀錄的意義隨時幻化為聽覺嗅覺味覺觸覺，而且投注以悲欣痛喜，依照書的訊息調整我們的世界關照與生命理解，我們才真正「閱讀」了一本書。

用抽象語言描寫起來似乎那麼艱難的過程，奇怪，卻是我們大部分的人，從小一接觸到書，很自然就會了解的。成長過程，我們就內化相信了這種「閱讀」態度，是對待書本，最對最好的方式。

通常，我們不會自然地如此投注對待電視電影，甚至不會如此投注對待平常聽到的音樂。是因為和書相處，累積了「閱讀」的美好靈魂經驗，有一天，我們才突然意識——那，難道不能用同樣的態度，來「閱讀」別的東西嗎？「閱讀」一張母親年輕時的照片，突然，本來「看」照片不曾有的感動，鋪天蓋地淹沒了我們。「閱讀」一首年少時走在涼風街道上，習慣會哼唱的歌曲，突然聽到了自己生命中本來一直沉默著的某個腔調。

「閱讀」是動員生命感受與外物誠摯對應的訓練，過去因為書籍在文明傳承中扮演的重要角色，藉由對書籍的謹慎態度，最容易自然學到「閱讀」。現在的人，書讀得愈來愈少，損失的，不是書中承載的那些訊息內容，毋寧是本來可以從和書的互動中養成的「閱讀」習慣與能力。畢竟，我們不太可能用以前讀書的敬謹態度來看待網路上五花八門的訊息，不是嗎？

如果有一天，生命中再也沒有可以引發我們「閱讀」衝動的人，或者，對於再有趣再親近的人，我們都失去了「閱讀」他們的本事，那麼，活著，是不是少了愈多靈魂悸動的快樂？

11

愈來愈覺得，讀書最大的敵人，是想要將書讀懂的習慣。

很多人讀書的方法，最早都是從學校裡讀課本的經驗中學來的。而我們課本的教法，真叫「鉅細靡遺」，而且永遠都有標準答案。讀課本，先得認識每一個字，再來認識每一個詞，再來搞清楚一個段落，最後，就是把文章背起來。這樣還不夠，還要背註釋，還要背別人規定的這篇文章表達的意義。如此學久了，很多人就以為讀書該這樣讀，而且只能這樣讀。遇見任何一本書，一翻開來，不自覺地，就用一種嚴苛的態度在心中衡量評估著：這書，我看得懂嗎？

「看懂」，掩蓋了一切，成為讀書最重要的判準，於是當然就產生了選擇性，只看自己看得懂，自己可能看得懂的書，排除了其他書。也就排除了讀書原本內在含藏的冒險誘惑。難怪台灣儘管每年出那麼多書，可是國民們平均卻讀得那麼少。而且會被許多人閱讀的書永遠都是一副模樣，沒什麼新鮮驚奇的。新鮮驚奇的東西，都被擋在「看不懂」的門檻外面了。久而久之，「看不懂」也就帶著一種奇特的理直氣壯，好像只要說一聲「看不懂」，誰也不能質問說：為什麼如此重要的書你都不看？

讀書的樂趣，不應該被「讀懂」給窄化。讀書是最容易接近別人經驗與陌生知識的管道，我們本來就沒有權利、沒有資格要求別人一眼被我們看穿，知識得迎合我們既有的理解。只有耐心與時間，才能把我們帶到不同的，擁有異花異果的世界裡去。我們忍耐「不懂」，但繼續將書讀下去，為了給自己鋪一條通往異境的路，一知半解中我們彷彿透見了遠方的靈光片段，正因為沒有全貌，所以值得期待值得努力想像。

還有一些時候，「不懂」本身，給我們多大的刺激！感受到世界之大，感受到面臨深淵般的暈眩，感受到巨靈在眼前升起的驚懼。以我們的感官，而不是智力，與書遭遇。不是與書對話，而是在書之前，謙卑匍匐。對自己寬容些，也對書寬容些，給那些「看不懂」的書，留些空間，別太快把它們趕出去。學著去享受「看不懂」卻還是可以看下去的樂趣，你和書的關係，書能給予你的經驗，必定都會豁然開闊許多。

大部分流傳下來的「經典」童話故事，都有不那麼適合兒童理解學習的部分。《格林童話》（*Grimms Märchen*）有好多黑森林傳統中陰冷魔性的東西；《一千零一夜》（*One Thousand and One Nights*）全書開頭是個荒謬絕倫的色情故事，黃得不像話；安徒生一輩子沒結婚沒小孩，也就從來不曾對著真正的小孩講過故事；就連《愛麗絲夢遊仙境》（*Alice’s Adventures in Wonderland*），裡面也充滿了「砍頭」的情節。

如果這些作品出自當代作家之手，送到出版社，專業編輯大概都會毫不遲疑地判定——「不適合作為童書內容」，直接退稿吧！

為什麼會有這種狀況？最簡單的原因，從來沒有一個時代的小孩，在閱讀上像我們今天一樣被保護得那麼緊密的。這是一個「童書」空前發達的時代，更是一個「童書」分齡空前細密的時代，市場上依照小孩年紀，提供仔細分層的種種童書，相應形成了對不同年齡層讀者可以讀應該讀的內容，種種習慣規範。

這種作法，從創造市場、擴張市場看，有道理。可是換從小孩的成長經驗上看，就沒那麼有道理了。書籍一直都是小孩自主摸索探測成人世界很重要的管道，小孩沒有辦法隨便參與大人的談話，大人的活動，也沒有辦法吞下萬靈丹突然就理解了大人行為的不同邏輯，但他們可以從書架上拿下大人的書，從似懂非懂的閱讀中，靠近大人世界、揣測大人世界。

「小孩會長成什麼樣的人，往往取決於爸爸的書架上有些什麼書。」這話能成為名言，前提假設是，爸爸的書架是對小孩開放的。然而我們現在普遍的作法，卻是幫小孩建立他自己的書架，而且想方設法教他不要對爸爸的書架好奇，小孩就應該讀專門寫給小孩看的書。

「大狗走大洞、小狗走小洞」，乍聽有道理，認真一想，我們會發現：為什麼小狗不能也走大洞，需要另外開小洞呢？很類似地，我們太容易把小孩讀童書、只讀童書視為理所當然，渾然忘了我們多少人小時候最深刻的閱讀經驗，都不是讀童書，而是似懂非懂讀到不是專門寫給小孩看的書。

似懂非懂惹起的興趣好奇，是閱讀的一大樂趣。這種樂趣，不太可能從閱讀小心編寫的分齡童書得到，只能到超齡閱讀經驗裡尋找。超齡閱讀引發好奇，引發對於成人世界的想像，這種好奇想像，如果能留在身體裡，會是生命中最具創造性的資源。

13

台灣出版界有一陣子熱衷出大套書。那是「書櫥換酒櫥」口號下的產物。要把酒櫥從客廳撤走，容易；要在酒櫥的位置換擺一座書櫥，不難；難在空空的書櫥裡要擺什麼？腦筋動得快的出版人嗅到了商機，賣一大套書給要放書櫥的人家，一勞永逸，而且書櫥裡的書都是同樣顏色的書皮書背，看起來簡直跟壁紙一般漂亮。

出一大櫥一大櫥的套書，有人賺到了錢，卻也有人賠得一塌糊塗。不過賠得最慘的，卻是「書櫥換酒櫥」這個構想的原始美意。本來是要鼓勵大家少喝酒、多讀書，大套書卻讓書純粹成了裝潢裝飾，醒目美觀的外表做主要訴求，如何講究書籍內容？更別提書的內容跟客廳主人之間的關係了。

真正最美的書架書櫥，不會顏色統一、行列整齊。美的書架書櫥上面一定會有五花八門不同的書，而且美的書架書櫥，一定可以讓人不只遠遠地看，還會忍不住靠近。

想要看看架上都擺放了哪些書。那是對於這空間主人最清楚又最低調的介紹，安安靜靜告訴客人：「我是會讀這樣的書的人，我看待世界、看待生活的角度，跟這樣的書有所呼應吧！」

進到那樣一個有書架有書櫥的空間，我們很自然地進行著跟主人間的距離衡量。在書架上看到自己熟悉的書，看到自己覺得好奇有興趣的書，或者看到自己極度陌生的書，都有不同的意義。藉由書架上的書，我們更準確地辨識空間主人的生命情調，那多半是光靠身分、頭銜、乃至閒聊無法觸及的部分。

書架書櫥裡默默躺著的書，還提供了我們更精細的個性辨認，以及理解空間其他裝置物件的道理。同樣的沙發、同樣的茶几，在讀不同書籍的主人家中，透顯出不同的精神來。一個滿架都是理財書的人家擺了廉價藤椅，和一個嗜讀New Age靈性書刊的人家擺了完全一模一樣的藤椅，當然不會是同一回事。

就算在商業空間裡，一個小小的書架，幾十上百本書籍，都可以神奇地賦予那個空間獨特的個性，引導顧客理解主人自己對那家店的想像與遠景。很可惜，我們的店家很少有對於以書架當裝飾有興趣有概念的，以前會擺設小書架的街角咖啡館也一一消失了，取而代之的連鎖咖啡店，當然不會有書架。缺乏有獨特個性的店主店東，怎麼可能在店裡創造一個書架出來呢？

14

讀書與藏書，是一件事，還是兩回事？

應該是兩回事吧！畢竟，沒人規定非讀自己收藏的書不可。圖書館借來的，友人書架上順手拿下來的書，都可以讀。只要不怕店員的青白眼，在書店或站或坐，一樣可以讀書。

換一個角度看，就算是自己的書，讀完一樣可以不收藏。去日本，尤其是東京，搭一趟電車，多逛兩個車廂，必定可以撿到一堆報紙、雜誌和文庫本小書。這些在電車上讀書的人，顯然不藏書。

然而，我認識的人裡面，喜歡讀書的，卻又很少有不藏書的，讓這兩件事看起來似乎有緊密關聯。忍不住問問，究竟為什麼要藏書？

藏書的理由之一：看到有趣、喜歡的書，卻沒有時間沒有精神立即讀完，所以就必須先把書買下來收藏起來，心中就有了安全感，啊，隨時我可以把喜歡的書拿下來讀，不怕忘了，也不怕想起來時找不到這本書，空留遺憾。

藏書的理由之二：有些書讀完了，一定不會丟。因為深深相信，自己有一天，明天、一年後、五年後、二十年後，總有一天會重讀這本書。被書中的某種東西挑動了，感覺到這樣的內容、這樣的閱讀經驗，值得再來一次，甚至再來幾次。所以要藏書。

藏書的理由之三：書裡面有我未來用得到，或假想未來用得到的資料或智慧。沒辦法那麼信任自己的記憶，所以得留著書，以待查考，讓書中的資料與智慧，來增加我自己說話或寫文章的說服力。

藏書理由之四：藏書本身有著超越讀書以外的樂趣。用一種珍貴財產的角度看待書，計較版本年份裝幀，計較成套不成套，總數有多少，甚至計較是否可以拍賣，市場價值多少，當然別有一番風情。

看看以上藏書的理由，除了第四項，其實好像都還是跟讀書有關吧！或者這樣說吧，因為讀書的態度與方法，所以才衍生出藏書的需要，倒過來，有了藏書與藏書習慣，就會培養訓練出不同的讀書方法及態度來。

所以，讀書和藏書畢竟有很大一部分還是重疊的。是有不讀書的人卻熱衷於藏書，但不多。愛讀書，跟書建立濃密關係，知道如何在書裡擠榨出最多收穫的人，卻不藏書，不對買書藏書一事心動的，恐怕更少。

試試看收藏一點書吧！或許，你的讀書經驗，會隨著藏書活動而深化改變。

15

我們如何擁有一本書？掏出錢來將書買回家，只是「擁有」過程中的一個階段，而不是全部。書要真正變成我們的財產，要等到我們閱讀、感受，並且將感受信筆寫在書頁上，跟作者的鉛印內容並排對話。

書提供筆記的自由，提供藉著筆記註記將書「占奪」的自由。一經筆記註記，那本書就不只是作者的書，變成不折不扣讀者的財產，讀書的人可以在其間充分滿足財產快感。

這種「占奪」的自由，就是電腦網路閱讀沒有，或至少是目前難以提供的。我們沒有辦法隨意在電腦給的文件資料上，揮灑批註，當下讓文件資料成為「我們的」。除非先列印下來。然而列印下來，那資料就遵從了「書」而非電腦網路的形式了。我們還是把內容印下來，加上自己的意見想法，讓那份文件瞬間脫離了原始的身分，變成「我們的」。為什麼電腦愈普及，紙張非但沒有在我們的生活裡消失，反而愈用愈多？因為電腦到現在沒辦法改造人類的「財產占有習慣」，我們要有能夠加上自己意見的「自己的文件」。

另一方面，書卻又提供了電腦沒有的另一項不自由，同樣重要。那就是順序的不自由。書總是線性排列的，從第一頁排到最後一頁，一定有個作者或編輯給的次序。讀者當然可以高興怎麼翻就怎麼翻，有些書也標榜可以讓人家翻到哪讀到哪，然而，無論如何，書的次序就是在那裡，無法取消的。逼著作者編者必須想，什麼擺前面什麼擺後面，為什麼如此擺；也逼著讀者想，為什麼要我們先看這個再看那個，前後順序的道理用心是什麼？

潛移默化中，書的不自由，一定有養成邏輯習慣的影響。寫書的人，尤其是編書的人，不可能沒有基本的邏輯感，因為他們要克服書本排列次序的問題。讀書的人，尤其用心讀書的人，因而也就不可能沒有基本的邏輯感，事物之間的關係，不會是隨便都好的，總有某種次序比其他次序有道理有效些。

書提供的自由與不自由，保障了在電腦網路時代，書籍繼續存在下去的充分立場。

16

書籍存在的一項神聖功能是：提醒我們，讓我們謙卑。

有時是一本書扮演了這種提醒的角色。例如早在一九六二年就出版，卻遲至許多年後才有中譯本在台灣通行的《八月砲火》（*The Guns of August*）。這本描寫第一次世界大戰如何開啟戰端的經典名著，詳細追索了參戰各國領導人的決策過程，穿透複雜的史料，一層層剝開給我們看，進而說服讓我們相信，那場差點毀壞了歐洲文明之戰爭，其實是一場「沒人想打的戰爭」。捲入其中的那些決策者，沒有一個是嗜血的犯人，更沒有一個是不明時局的笨蛋。不，他們都是隨著十九世紀理性成長，精刮算計的一代。他們聰明地算了種種利益，安排了種種策略，相信事情一定會如何發展，最後卻是身不由己把整個國家整個歐洲帶進毀滅的深淵裡。

讀這樣的書，我們心底忍不住喟嘆：「要是他們沒那麼自作聰明就好！」同時我們無法遏阻心底浮湧上來的警惕：「我有他們那麼聰明嗎？我該用自以為聰明的方式看待世界，對待別人嗎？」

有時候，眾多書籍架堆在一起，不必翻開任何一本，也能讓人回返謙卑的人間位置。

我記得自己第一次進到藏書三百萬冊的哈佛大學總圖書館。書庫裡當然是一排排書架，分布在上上下下怎麼算都算不清的樓層裡。我漫無目的地逛過一排又一排書架，隨意瀏覽辨識那些書可能屬於什麼分類。走一走，突然發現自己迷失了。不是找不到去路出口的那種迷失，而是在知識版圖裡茫茫無所定著的迷失。

我發現自己走過一架又一架的書，上面沒有一本書我認得的。我能夠從書名簡單辨認幾種主要語文，英、日、德、義、西、拉丁文和希臘文。讀不懂內容，但至少曉得這書是用哪種文字寫成的。可是在那裡，走過一架又一架的書，我甚至找不到一本自己可以曉得是用什麼文字寫成的，一本都沒有！

我早就不幻想有限一生能讀盡一座圖書館的書（芥川龍之介不是因為算出自己一生頂多只能讀三、四千本書，因而傷心得大哭嗎），可是圖書館裡有那麼多書與我如此陌生隔閡，還是讓我驚駭。驚駭於與文明累積的成果相比，個人何其渺小，就連個人所處的時代與社會，都何其渺小。

人還是感到渺小點好。自覺渺小的人才會努力要讓自己提昇，才會巴著追求比生命更高些更大些的價值。自覺渺小的人才不會拿戰爭或其他危險的事玩遊戲，誤以為自己的聰明才智可以高過災難。聰明、偉大的人常常自身就是災難。

17

我長期在「誠品講堂」、「敏隆講堂」開課，每到有課的晚上就得跟女兒告假，不能陪她。年紀還小時，她臉上掛著失望，多次問我：「你的老師教什麼?是國語還是數學?」跟她解釋過幾次，但她還是習慣一聽到我說要「去上課」，就自然地假設我跟她一樣，是去當學生。

布袋戲一代宗師黃海岱去世，在報紙上看到邱坤良回憶黃海岱的種種。邱坤良在藝術學院（現在的台北藝術大學）當戲劇系主任時，請黃海岱到系裡「上課」，大師爽快地一口答應了。後來再聯絡，講定時間，大師突然說：「你要叫我去受訓啊！」原來，大師一聽「上課」，很自然就以為是要他去「聽課」，根本沒有想到人家是請他去「講課」。

邱坤良當戲劇系主任，那時黃海岱都八十幾歲了，不只在布袋戲上地位崇高，而且在文化界受到普遍的尊敬，邱坤良又是曾經跟他學戲的後生小輩，然而，因為邱坤良在學校教書，黃海岱就以為自己去學校，一定去當學生。

這是老一輩人，對老師這個角色，根深蒂固的尊重。不管多大年紀，遇到當老師的，就把自己放回學生的位置上。這種態度，同時也反映了過去的人，多麼在乎自己作為學生的經驗，不會輕易丟掉學生角色。

而這種隨時準備回到學生身分的態度，卻正是今天這個時代，快速在喪失的社會資產。只剩下小小孩和老老人，還對當學生念茲在茲了。其他人還沒離開學校，面對老師，都已經不耐煩當學生了。

今天講起「老師」，幾個人還會有學生式的敬謹？最流行的「老師」，是在電視上滿口胡言教人家投資股票賺錢的。「老師」頭銜愈是滿天亂飛，「老師」的角色意義就愈模糊低落。

讀書，有時只是為了讓自己可以回到一個接受知識的被動位置，重新感受當學生的那種謙卑。書籍，正因為是靜態的；讀書，正因為是被動的，勉強還能讓我們在這個躁動的時代裡暫時不爭議不表演，在被動靜態的情境下面對知識，也就是——回到學生的身分裡，體驗被我們遺忘的那種學習假設，將自己開放給更廣大的未知世界，豐富我們無論如何努力，與世界相比都還是太貧乏的生命。

18

大陸作家陳丹燕寫道：「要是沒有在十九歲的時候，如饑似渴地讀過《夢的解析》（*Die Traumdeutung*），從小看著謊言和迫害長大的我，大概也會迷失在將所有錯誤推到別人身上的習慣去吧。」

「《夢的解析》對於一個在文化大革命中長大的十九歲中文系學生來說，是一個很大的震驚。從那時候開始，佛洛伊德（Sigmund Freud）的燭光，帶我發現了謊言後面的黑暗的廣大世界，那是凡人的心靈，純潔的和骯髒的混淆在一起，每個人都是一樣。」（見《柴可夫斯基不在家》）

十九世紀末最後幾年，一邊在維也納執業一邊寫書的佛洛伊德，一定不會想到有一天他的書會以什麼方式影響一位中國少女，而且他如果地下有知，恐怕不會完全同意陳丹燕對《夢的解析》的讀法吧？用《夢的解析》來對抗充滿謊言和迫害的社會？而且是佛洛伊德從來沒有接觸過的中國社會，在佛洛伊德來不及經歷的二十世紀極權統治下？

然而，這些都不重要，重要的反而是，佛洛伊德活在一個跟陳丹燕完全不同的社會，他沉浸在自己的時代、自己的社會給他的難題考驗裡——怎麼理解歇斯底里病症？怎麼想像人類意識的運作？怎麼用一種普遍的科學方法去處理個人，尤其是個人最獨持的意識呢？佛洛伊德在這樣的前提下思考，思考出他的答案，交出他的《夢的解析》。

正因為《夢的解析》跟二十世紀六〇年代沒有一點關係，所以他能用陳丹燕無法想像的新鮮角度思考、論證。《夢的解析》的魅力，有一部分正存在於其陌生背景，佛洛伊德壓根兒沒要拿陳丹燕當「想像的讀者」，他不考量陳丹燕的需要，更無從討好像陳丹燕這樣的未來讀者。

跨越時代流傳下來的經典書籍，提供了我們「陌生的服務」，這是常常被忽略的一項重要價值吧！活在世上，我們難免會有一種本能的怠惰，讓自己藏身在熟悉的東西之間，藉著被熟悉包圍取得安全感，節省精力，與我們同時代的人，和我們一樣沉溺在這種「熟悉性」裡，大家一起不斷再製彼此熟悉的東西，進而相信這些就是全世界，就是一切。

熟悉成了最大的盲點，養大養肥了我們的惰性，削弱了我們應對世界變化的能力。愈是以熟悉相濡以沫的社會，愈容易失去創造力，也愈沒有彈性面對未來。

還好有書，還好有經典。書一直在抗拒時間，也就是抗拒現實的「熟悉」原則。當每個領域都被熟悉、惰性占據時，書卻還是散發著跨時空的吸引力，引我們去看別的社會別的時代不同的思考、不同的經驗。舊書、經典，成了最重要的「陌生」來源，也提供了我們真正的新鮮。

19

一般都認為最好奇的動物是貓。的確，貓的本能是立即敏感發現周遭任何新出現的事物，而且會想方設法接近，還要試探著去接觸。這應該是貓在演化過程中留下來的生存技術吧！靠著這種好奇，就能快速掌握環境中變動的因素，而且不會輕心大意讓突發的威脅傷害了自己。

不過也因此，貓的好奇，背後有著生存緊張。好奇時的貓，大多都是緊張的。

真正最好奇的動物，能夠在不需緊張的環境裡，還對任何新的現象都能敏感測知，並意欲了解的，應該不是貓，而是人吧！

英語裡有「好奇心殺了老貓」的說法，然而實際上，因為好奇心而送命的人，古往今來，一定比死掉的老貓多上很多倍。人的好奇心貓絕對趕不上的，在於好奇甚至會超越了生存本能，進而改變了生存的基本前提。

舉個例子吧！誰不知道人類的生理構造，是為適應陸地生活形成的嗎？人無法在水中呼吸，也不太能在水中運動。就算會游泳的人，能離開陸地游出去多遠？而且如果單純只以海中生物當食物，長期下來，人還會得壞血症喪命，因為攝取不到讓人活下去不可或缺的維他命C。這是人的生存前提，依照這樣的生存前提，合理的結果應該是人會乖乖遠離海洋，小心保命吧！

沒有，人沒有留在陸地上，多少人前仆後繼上了簡陋的船隻，冒著各種危險，航行過沒打算要讓人經歷的廣袤海洋。這些人圖的是什麼？圖錢圖名聲圖權力，都不足以解釋他們的強烈動機。真正驅策他們的最大力量，應該就是好奇心。好奇海洋的彼岸有什麼，好奇海洋上有什麼，也好奇海洋裡有什麼。一直到十九世紀，醫學知識才了解了壞血症的成因，以及如何在海上航程中有效補充維他命C，然而，到那時，人類已經在海上進行了三、四百年冒險航行，也就是說，多少人已經付出生命的代價，卻都沒有阻止人類繼續朝海洋去。

不能忍受未知，還有對於新鮮事物有著追求的衝動，這樣的態度改變了人類歷史，甚至將人類改造成一種奇特的海洋生物。

書籍，基本上就是人類好奇結果的儲藏室。人類有將好奇得到的結果，向別人炫燿，並且保留紀錄的衝動，這又是好奇的人和好奇的貓大不相同的地方。人類歷史上絕大部分時刻，發揚好奇心追求到的新鮮事物，只能夠用文字記錄下來，才有辦法讓別人了解，也才能固定保留。這麼說吧，人類曾經有過的好奇心與好奇結果，都堆積在書裡，我們今天讀書，就是在參與古往今來的好奇探索。

讀書擴張我們的好奇範圍與好奇結果，讓我們活得更像最好奇的動物——人。孟子問：「人之異於禽獸者幾希？」我想答案，至少部分的答案應該是：人有超過所有動物（包括貓）的好奇心，而且人類還能靠著閱讀來吸收累積好奇心，留在自己的書房中，就能收集豐富的新鮮經驗，讓別人的好奇成為自己的好奇。

20

我們所處時代的特色之一，是新鮮的東西不斷出現，而且原本就新鮮的領域變化得更快，一直推出更新的現象，不只讓人目不暇接，更讓在這些領域構想未來的人，疲於奔命。

電子書是個才在發展中的新興領域，還沒有定型就開始變化了。短短幾年內，Smart phone 的快速普及，比所有其他因素更強烈地衝擊了原本的電子書思考。電子閱讀器的規格問題尚未解決，授權收費機制尚未確立，突然之間，這整件事卻看來愈來愈沒道理了。Smart phone 讓人可以在移動中隨時上網，而且其螢幕又提供了基本的閱讀功能，隨時隨地可以看到彩色影音內容，這種情況下，還有多少人會需要黑白、只能閱讀文字文本的閱讀器？

下一代配備較大螢幕的 Smart phone 輕而易舉就取代了電子閱讀器原本設想的功能，有手機的人就有了方便且具備影音閱讀功能的閱讀器，這一刻它是閱讀器，下一刻變成了遊戲機，再下一刻又變身成了上網的電腦。

這時候，我們怎麼理解、怎麼運用、怎麼經營電子書？大家用手上的機器不斷遊走在各種介面間，更根本的，我們還如何界定電子書？

當然有人要繼續追蹤這些機制的變化，不過，面對那麼快而且那麼難預期的變化，更需要有人照顧最核心最不容易改變的東西——那就是閱讀行為本身的保留與深化。閱讀，不管讀的是文字或音樂或影像或綜合媒材，其基本態度都是認真的、謙虛的、思考的，這是閱讀的本質本意。因為世界遠比我們自己能經驗的大得多，所以我們藉助閱讀來擴充自己，連結世界。閱讀的開端，是承認自己的不足，對自己的不足感到不安，因而我們閱讀。

不管將來科技如何變化，人都還會需要閱讀，來擴展自己、應對外在環境。閱讀是態度，也是習慣。養成閱讀習慣的人，不斷試圖突破自己的生命限界，也就會不斷地學習成長；相對地，缺乏閱讀態度的人，就算看了一大堆網路上的資料、一大堆高度重複的連續劇、甚至一大堆內容彼此抄襲的書籍，他還是他，還是原來那個狹窄有限的生命。

培養出認真、謙虛、思考的閱讀習慣，那麼不管未來閱讀的載具如何變化，我們都可以「役科技而不為科技所役」，這才是最重要的吧！

21

一九二七年，紀德（André Gide）的《偽幣製造者》（*Les Faux-monnayeurs*）才剛出版，喬伊斯（James Joyce）的《尤里西斯》（*Ulysses*）還只能在少數地方流傳，伍爾芙（Virginia Woolf）在摸索著如何進一步將意識流融入在小說敘述中，那是現代主義小說革命的起點，也是小說告別十九世紀建立的巨大傳統，標示二十世紀新風貌的關鍵年代。

這一年，劍橋三一學院的「克拉克講座」邀請小說家佛斯特（E. M. Forster）擔任，他選擇了以全面檢視「小說是什麼？」為講座主題，發表了八場演講。

佛斯特出生於一八七九年，他正是在十九世紀的小說傳統下長大的，然而他開始寫作時，那個傳統已經爛熟，建立了明確的經典系譜，也有了眾多二流、三流的仿襲之作牽掛在後，因此必然就引發了年輕輩叛逆、追求突破的嘗試。

佛斯特處於新舊衝擊的複雜曖昧中。他的年紀接近現代主義的先鋒健將，而且透過「布魯姆斯伯里文化圈」（Bloomsbury Circle）跟這些人密切來往互動，對新思潮他絕不陌生。可是另一方面，魔羯座的保守性格，加上小心保護自己同性戀傾向不要成為社會八卦醜聞，又將佛斯特拉回來接近既有的規約典範。

這些條件湊在一起，造就《小說面面觀》（*Aspects of the novel*）的特殊內容。佛斯特清楚意識到現代主義對十九世紀傳統的不滿與挑戰，以回應挑戰的姿態，總結了十九世紀小說傳統的原則與精神。

小說不同於故事，故事講發生了什麼事，小說卻解釋為什麼會發生這些事。小說不同於戲劇，戲劇靠行為彰顯一切，小說卻深入行為背後，彰顯動機、觀念與不會表現在行為上的感受。小說也不是人生的反映，人生沒有那麼明白清楚，現實裡人與人的交往，只能靠表層的觀察猜測，小說給我們一個深度理解的世界，讓人與人在小說家筆下充分解剖呈現。正因為人生的曖昧籠統草率，我們才需要小說來提供確定的動機、因果和道德視野。

最偉大最了不起的小說，是托爾斯泰（Leo Tolstoy）的《戰爭與和平》（*War and Peace*）和杜斯妥也夫斯基（Fyodor Dostoyevsky）的《卡拉馬助夫兄弟們》

（*The Brothers Karamazov*），或許加上梅爾維爾（Herman Melville）的《白鯨記》（*Moby-Dick*）。

這些論點、這些評斷，顯然是立基於十九世紀小說傳統上。從來沒有人，之前沒有、之後也不會有，將十九世紀小說傳統的特色與價值，講得如此透徹有力。之前沒有，因為十九世紀小說還在發展中，還沒有窮盡其創造力的可能性；之後不會有，因為十九世紀小說快速失去了活力，被新浪潮衝得東倒西歪，也就沒有人對這套小說傳統那麼熟悉又那麼有感情了。

佛斯特解釋了小說這回事的存在道理，也教我們一套讀小說、享受小說、判斷小說的方法。十九世紀偉大傳統下產生的重要作家、重要作品，佛斯特幾乎都講到了，而且幾乎都有充滿獨特洞見的解讀。那些乍看像是偏見的東西，彼此組構彼此強化成一套細緻而聰明的小說價值觀，大有助於讀者自我訓練，在小說中讀出更多更豐富的內容來。

佛斯特的《小說面面觀》出版沒多久，新的小說創作風起雲湧，將近半個世紀，每一波新的流行風格，幾乎都像是衝著《小說面面觀》而來的敵對反撲。一代又一代的小說作者，以《小說面面觀》當反面教材，就是要寫出不同於佛斯特所規定的「小說」。

一波大浪潮質疑為什麼小說非寫內在，不能停留在表面？一波大浪潮質疑小說為什麼必須、甚至為什麼可以提供現實裡人無法得到的答案？小說為什麼、憑什麼從全知角度提供完整的解釋？小說為什麼不能是片斷、混淆的？又有一波大浪潮挑戰佛斯特認定的大禁忌，就是在小說裡跑出寫小說的人，跟讀者揭露他怎樣寫小說。還有一波大浪潮，刻意拉近小說與故事，反對小說應該在故事以外多加些什麼，要讓小說家重新回去當講故事的人。

我們甚至可以這樣說，理解二十世紀「新小說」的捷徑之一，就是將佛斯特的《小說面面觀》頭上腳下翻轉過來。他說小說是什麼，「新小說」就要偏偏不要那樣寫小說；他說小說不應該怎麼寫，「新小說」就興致勃勃地往那些方向去探索、去試驗。佛斯特及其《小說面面觀》成了二十世紀寫小說的人，必定要努力跨越的大石頭，跨過去了，才能看到新風景。

然而，神奇的是，經過了八十年，經過了多少第一流創作與評論天才的反覆對抗，一度似乎過時落伍的《小說面面觀》，從來沒有真正從小說讀者的書架上消失。很多人還是靠《小說面面觀》的提示，來閱讀十九世紀的經典小說，不只如此，很多人還是覺得佛斯特對於小說讀者想在小說裡讀到什麼的心情掌握，最貼切最精準。或許應該這樣說，二十世紀在小說創作意念上的翻天覆地，屬於少數先鋒作家的舞台，卻沒有真正改變大多數讀小說的人。弔詭的狀況一直存在——寫小說的人想要遠離《小說面面觀》，讀小說的人卻一直依偎著《小說面面觀》。

這個潮流來、那個潮流又去，二十世紀都結束好一陣子了，《小說面面觀》還在，更重要的，對想要讀小說的人而言，《小說面面觀》裡面所說的，仍然是進入小說世界，理解小說是怎麼一回事、人類文明中為什麼會有小說這樣東西，最好的指引。佛斯特用來舉例說明的那些小說，或許很多我們不讀也找不到了，然而因為他從小說之所以為小說的最根本起點出發，他對人物、情節及想像力等的分析，都還是可以適用在今天我們讀的許多小說上。

包括那些刻意跟他作對，刻意要逆反《小說面面觀》說法的眾多二十世紀小說。《小說面面觀》就像是《西遊記》裡如來佛神奇的手掌，幾十年來邀請小說作者們使盡渾身解數翻出去，好些人相信自己已經翻離開了，得意地找個石柱撒泡尿回頭對佛斯特挑釁張揚，然而時間幫我們拉開距離放大視角後，我們會發現，究竟多少人真正翻出去了？還很難說吧！

23

小說會一直存在嗎？小說的未來在哪裡？

這問題的答案，視我們以廣義或狹義的態度來看待「小說」而定。最廣義地看：如果小說指的是人編故事、說故事、聽各種與自己不必然相關的故事的興趣、習慣，那麼我們可以很有把握地說：啊，三十年後，甚至一百年後兩百年後，小說當然都還在。

可是如果我們將小說的範圍限縮一下，明確規定是用文字為媒介載體流傳的虛構故事，答案或許就沒那麼肯定了。畢竟這裡面牽涉到一個不是小說本身能控制的巨大變數——整個人類文字文化的未來。

腦神經醫學的研究，愈來愈指向，人類的大腦結構大腦功能，本來並不適合文字的書寫與閱讀。實在是文字保留、傳遞文明經驗的效果太有用了，人類才逐漸訓練自己挪移大腦功能，學會如何使用文字。文字一方面讓人能快速成長，直接就在前人的經驗基礎上享受歷史成果；另一方面文字卻也讓人延緩成長，逼我們花大量時間幾年十幾年浸淫在文字的學習訓練中，才能被承認、被接受為成熟的社會一分子。

如果有新的更方便、更不需費力學習的管道，同樣能擔負起傳遞經驗的任務，那麼人就很可能慢慢遠離文字，甚至荒廢文字。

這種情況，正在發生。影音技術快速變化，影音訊息急速倍增，對文字產生了嚴峻的競爭作用。可以用看的可以用聽的，那為什麼要用讀的呢？可以看電影為什麼還要讀小說？甚至更誇張也更本能一點地說：可以隨時看到A片，誰還會要寫要讀黃色小說呢？

文字與影音訊息最大的區別，之所以讓文字寫讀那麼辛苦，就在於要求想像力的介入。文字本質上是抽象的，它無從「寫實」起。文字要把經驗先抽離轉化成為符號，以符號保留、傳遞然後藉由閱讀者的想像力，才有辦法再將抽象的符號在心裡、在身體感受上，還原成經驗。

沒有想像複製感官感受的能力，我們就無法透過文字閱讀，文字就變成一系列不可解的符號了。文字依賴普遍的想像能力，反過來，運用文字的習慣，必然有助於人們開發培養想像力。

最狹義的小說——十八世紀崛起於歐洲的一種特殊文類，其出現自有道理。一者是人的生活複雜分化到一定程度，刺激了高度好奇心；二者是識字率大幅普及，運用文字的人口增加，於是從文字裡獲得的想像訓練，相應改變了一般人的感官感受模式。這兩者缺一不可，兩者同時存在，才促成了小說的快速成長。

小說是什麼？小說是一種滿足新興中產階級豐沛好奇心的想像產物。小說刻劃模寫「別人的生活」、「別人的經驗」，供中產階級讀者窺探解饞。讀者閱讀小說，因為藉此得以走出自己真實生命的有限框架，接觸到不同的生命可能性。

小說一直在開拓生命的其他可能，不同時間不同空間不同階層生活的異質多樣性，透過小說帶進讀者生活裡。小說作者光是憑藉自己的經驗，往往不足以接觸那麼廣大的多樣可能，他必須喚起想像，以想像編織現實中不一定存在的角色、情節與其生命關係，再將想像的經驗巧妙地呈現為「似真」的經驗，傳達給讀者。

小說的根本，因而是想像的發揮與執行。這些小說作者不是突然冒發出現的，他們活在愈來愈密的文字網絡中，藉由文字刺激的想像訓練來汲取虛構創作養分，也藉同樣的想像訓練來培植讀者。

既然小說和想像力關係如此密切，我們就不難預見文字閱讀習慣被影音訊息接收取代，對小說產生的關鍵傷害。

在這一點上，小說的未來是悲觀的。和文字閱讀的前途同樣悲觀，同樣令人擔心。

24

小說的未來和文字閱讀的前途同樣令人擔心。

一、二十年的時間，大概還不足以使文字消失，卻很可能夠讓文字變質。文字很可能會從現今的多重複雜功能，逐步簡化、單純單調化。文字本來可以記錄可以傳播可以創造感受可以擬仿經驗甚至可以描寫刻劃感官無法接收的新鮮奇境，但新時代的簡化文字，很可能只剩下最基本的訊息功能了。我們還是要靠語言傳達某些訊息、記錄某些活動摘要，但訊息背後的意義、活動當中的感受，卻不再能由文字來承載了。我們把影音錄攝下來，以為那樣同時就保留了意義與感受。

簡化了的文字，帶來空洞退化的想像能力，毋須再每天解譯文字探測其間層次感受，人就逐漸喪失了最核心的想像活動——設身處地去感受。

閱讀文字，我們習慣設身處地感受寫這些文字的人的主觀生命。面對影音訊息，我們卻只能也只需去接收其客觀表現，於是影音訊息充斥的社會，每個人都會變得愈來愈主觀，也愈來愈自我。

不想像，就無從被自我以外的其他生命吸引。未來我們應該會看到小說的姿態，進一步地「內向化」。小說作者失去刻劃描寫「別人生命」的興趣與能力，他就只能寫自己，只關心寫自己的生活，缺乏想像力的情況下，自己的生活就是一切。

然而作者對「別人生命」失去好奇，讀者又如何保持對作者生命的興趣呢？「內向化」的小說，實際上已經違背了小說的基本性質與基本功能，沒有對別人生命的好奇，又何必虛構？虛構、想像的能力在「內向化」趨勢中，有何用武之地？

二十世紀的現代小說，尤其是受佛洛伊德潛意識理論影響後，曾走過一段深挖個人內在意識與心理反應的歷程，不過那段時期產生的現代主義經典小說——如普魯斯特（Marcel Proust）的《追憶似水年華》（*À la recherche du temps perdu*）或喬伊斯的《尤里西斯》——展現的是人類壯觀的內在心理複雜可能。換句話說，這些小說挖出的內在內容，一點都不平常，它們超出了大部分人自我想像，於是讀到這樣的作品，讀者的反應仍然還是：「哇！這樣的記憶風景、這樣詭譎的意識變化！」這些作品，都還是持續挑戰、刺激、擴張讀者的想像能力，只不過誘導讀者將想像的對象，改而指向一個內在的、神祕的潛意識自我，在平常以為再熟悉不過的自我中間，分裂察覺陌生、甚至恐怖的另一塊潛藏部分。

未來的小說長什麼樣？牽涉到未來一般人的好奇心與想像力，維持在怎樣的水準上？人還會對自身生活感受到強烈限制拘束，試圖想辦法予以超越嗎？人還會經常在周遭現象中接觸到讓他覺得奇特不解的別種生活可能性嗎？有好奇心才能運用想像力去虛構與自己不同的生活，也才可能興味盎然地去追讀別人創造出來的虛構異質故事。

朝未來看，小說陷在大環境明顯不利的逆流中。不過還好，人類歷史向來不是只按照潮流條件形成的。永遠都有兩項變數不受控制，一是具備巨量感染力的天才成就；二是人主觀意志的扭轉努力。如果要讓小說未來還有前途，我們現在就必須主觀地認識、珍惜好奇心與想像力的價值，另外，祈禱這段時間中會有大天才掉進小說的領域裡，讓大家重新覺得小說是讓人能好好活下去不可或缺的一塊養分吧！

25

大約一百年前，梁啟超寫過一篇非常重要的文章，叫做〈論小說與群治之關係〉，文章一開頭是這樣寫的：「欲新一國之民，不可不先新一國之小說。」

要讓社會改革，要先改革小說。

「故欲新道德必新小說，欲新宗教必新小說，欲新政治必新小說，欲新風俗必新小說，欲新學藝必新小說，乃至欲新人心，欲新人格必新小說。何以故？小說有不可思議之力，支配人道之故。」

第一段就把他的結論講得清清楚楚，這個結論就是小說是一切，小說是萬能改革靈丹。

梁啟超認為：因為小說「淺而易解，奇樂而多趣」，小說很好讀，所以一般人隨隨便便讀了，就會受到影響。因為讀小說很快樂，所以小說容易影響人，於是一個社會讀什麼樣的小說，就會變成什麼樣的社會。

一百年前梁啟超主要用意是批判：中國人老是讀有問題的小說，難怪變成一個問題社會，要讓這個社會變得沒有問題，得先讓小說沒有問題。

我們不要忽略了梁啟超這篇文章，對一般中國人看待小說態度的決定性影響。今天我們雖然離梁啟超的時代那麼遠，我們也不記得梁啟超的文章，可是梁啟超對於小說的看法，一百年後，仍然在我們這個社會中陰魂不散。小說是對於這個社會有巨大影響的一種文類，因而小說負擔有一種道德責任。小說太容易入於人心，所以好的小說也應該是對於社會改革有所幫助的小說。

王德威教授一貫主張：晚清時，中國的現代性本來有很多的可能性，然而到了五四時期，晚清所展現出來的 modernities，複數的現代性，多樣的現代就被壓抑，或者是說被整合，只剩下單一路線。

順著王德威的這個講法，我們可以探究，經過五四時期整合後出來的現代性是什麼？至少表現在文學上，那個時代認定的「新文學」，完全是呼應梁啟超對於小說的功能論的。小說必須負擔社會功能，要讓社會變得更好。

從五四時期開始，每一本小說，大概都有它的社會功能，要具備社會上進行改革的意義，才會被評斷為好小說。「五四」開端，其實中國的文學、中國的小說就已經大致只剩下兩個支脈，一是左翼的社會小說，或說社會文學；另外一個就是右翼的浪漫文學。

我們可以用郭沫若的轉折做例子來說明。郭沫若原來在「創造社」時期的作品，簡直是「肉麻版的徐志摩」，可是到了後來郭沫若左轉，變成了社會主義路線先鋒，從「創造社」跳到「左聯」，他一個人就橫跨了這兩大主軸。而郭沫若放棄「創造社」跑到左翼去，也顯現了那個時代的改變。大概三〇年代後期以降，中國的問題愈來愈嚴重，浪漫主義的支脈愈來愈難抵抗左翼的大侵襲，我們是真的可以這樣說：經歷「五四」到三〇年代，小說就剩下了一種，能被承認、肯定為好的小說只剩下一種，那就是對於社會教化有用的小說。

26

在「以小說改革社會」的價值規範下，不同作者會有不同的表現。例如茅盾，他要改革社會，可是卻往往在描寫這個社會需要被改革的對象時，才充滿真正的熱情。他在小說《虹》，要暴露所謂進步知識分子的虛偽，可是將那些「新派女性」，他要譴責的對象，寫得多麼精采多麼有趣。他後來寫《子夜》，寫上海的資本主義與資本家的嘴臉，照理說那應該是猙獰的，然而讀《子夜》，讀者就在讀資本家們如何開車，如何終夜嬉戲，如何用算計的心機玩前所未有的金錢遊戲中，得到最大的樂趣與滿足。

每一個作家會發展出他自己的特色，但是價值規範是不可違背的，甚至建立成不可挑戰的大霸權。不只中國這樣，在台灣其實也如此。台灣文學史從張我軍、賴和到楊逵，他們對於小說、文學的工具性，和中國「五四」時期的理解非常接近。小說要幹什麼？小說要替窮苦人發聲，這是賴和和楊逵共通的信念。楊逵的〈送報伕〉寫一個殖民地的年輕人，去到殖民母國，看到了殖民體制的黑暗。這樣的小說要幹什麼？要控訴。控訴又是為了什麼，為了要行動要改革。

到了戰後，因為左翼文學被壓抑下去，在台灣，小說暫時可以不必、也不能跟社會有那麼密切的關係。十幾二十年間，現代詩取代小說，成為文學的主流。可是到了七〇年代，一群新生代的文藝青年又去把楊逵及他代表的文學信念找回來，文學潮流又改變了。從一種個人的文學、一種抒情性的文學，一種「無病呻吟式」的文學，又變回了「有病呻吟」。七〇年代的「鄉土文學」

是一個可敬的努力，要在幾乎沒有改革聲音的時代氣氛中，激發出改革的熱情來。「鄉土文學」潮流下，文學其實是重要的幌子，在文學底下，在鄉土文學底下，藏的是一顆年輕人無法繼續壓抑的要求改革的心。改革的聲音無法用政治批判或經濟批判的方式表達，只好用文學做門面。

這種方式，回到了五四時期，又呼應了梁啟超一百年前對於小說的概念。小說要有用，小說要幫助我們改革這個社會的病，要讓這個社會變得更好。這個傳統一路在台灣有很深厚的影響，滲透到了我們的教育體系與價值系統裡。台灣社會為什麼會有那麼強大的「勵志文學」潮流？顯然也和這套文學概念有關的。

在中國到台灣的現代文學系統中，小說是去揭露黑暗的工具，然而相對地，小說作為黑暗的代表，小說本身成為黑暗化身，就不容易被注意被接受了。在我們的文學品味，尤其是我們的小說閱讀習慣上，台灣社會主流相對是偏愛光明面的，我們喜歡看的小說還是要能符合梁啟超當年就指定了那個標準。

我真切的感覺是，台灣在實質骨子有很邪惡的一面，但是當要用文學、用小說去表達時，光明與善良才能被認可。在台灣擁有較多讀者的小說，基本上都是善良小說，或說善良風俗小說，就算稍有一點點批判性的小說，也都是輕量級，被拔除爪牙之後的批判性。

27

剛好就在梁啟超寫〈論小說與群治之關係〉的時候，歐洲出現一本非常重要的著作，崛起了一位非常重要的作者，其影響席卷了整個西方知識界、藝術界、文化界。

佛洛伊德一九〇〇年出版了《夢的解析》，我們現在已經很難想像這個人造成的巨大變化。從《夢的解析》開始，他陸陸續續進行人類潛意識的發掘，成功地塑造了一套新的「自我」的理解。

佛洛伊德塑造了一個前所未聞，我們所不理解的「自我」。什麼叫「自我」？「自我」並不是你自己所知道的「我」。「自我」分成顯意識與潛意識。潛意識是個麻煩的東西，因為照佛洛伊德說法，潛意識一方面是塑造真實人格最重要的力量，和潛意識相比，你覺得自己是什麼人，不管用什麼樣的方式去定義，你是什麼，都不重要。潛意識才是真正控制、真正決定你是一個什麼樣的人的因素。

可是另一方面，潛意識的定義，就是你自己所不知道的部分記憶與意識。這形成了很大的弔詭——愈是能夠影響你變成什麼樣的人的力量，你自己愈不容易知道。潛意識是透過壓抑才產生的，為什麼會有壓抑，因為每個人生命裡都會有黑暗面。

在佛洛伊德的精神分析論述下，人的組構中有被壓抑的，不讓自己有機會去檢驗，甚至無法去承認的非常黑暗的部分，因為這個部分存在，才決定了你變成什麼樣的一個人。

這裡就產生了二十世紀西方最大的追尋，無窮無盡的追尋，想要認識自己，就得去面對那個 Dark Side。然而黑暗面只要被發覺，提高到了顯意識，自己可以意識到的部分時，就不再是潛意識了。任何黑暗的東西被漂白了，也就失去了陰暗的力量，也就不重要了。

這是一個永恆的壓抑的過程，任何可以被你挖掘出來的東西，就不是你生命人格最核心最本質的部分；你找到了比較乾淨比較光明的，意味著背後還有更黑暗的東西。佛洛伊德引起的變化，對於自我認知的重大的改變，促使西方現代人不斷去挖掘最黑暗的東西，而且挖掘的過程永遠不會停，挖出了一塊，就意味這一塊不夠重要，重要的還藏在更黑暗更難找到的角落。

二十世紀的文學、二十世紀的藝術，尤其是我們稱之為「現代主義」的這一部分，跟 Dark Side 有非常密切的關係。我們甚至可以這樣說：「現代主義」的文學中，最重要的一個主題，就是面對自己的「黑暗之心」，人對於黑暗自我永恆而且是注定不斷失敗、不斷挫折的追尋。不斷挫敗，卻不能停止追尋，如果停止追尋，就不可能了解自己。然而再怎麼追尋都還是帶來不同程度的挫敗，挫敗還可能引出更深刻的壓抑，產生更多的黑暗。

當我們在要求小說、要求文學給我們光明、給我們我們教化的同時，西方走上了完全相反的路，這條路強調黑暗，強調黑暗對我們的重要。

28

對於黑暗的挖掘，不是完全沒有影響過台灣。六、七〇年代台灣也風行過存在主義，存在主義呈現了某一種類型的對於黑暗的處理。存在主義上溯杜思妥也夫斯基，經過齊克果（Søren Kierkegaard），然後一直到沙特（Jean-Paul Sartre），對於存在的無意識與無意義，有深刻的反省。

存在主義流行的年代，有一位文藝青年必定要讀的作者，卡繆（Albert Camus），尤其一定要讀他的《異鄉人》（*L'Étranger*），裡面寫一個叫默耳索（Meursault）的主角，好多事發生在他身上，一開頭他媽媽死了，接下來他去找他的情人，接下來他跑到海邊去，接下來他殺了一個人，接下來被審判，被判了刑。

然而透過當年也許不是那麼忠實的中文翻譯本，我們都感受到一種奇怪的氣氛貫穿這一切，在那麼重要那麼激烈的人生當中，媽媽死掉了，跟情人作愛，殺了一個人，被判有罪，那麼短的時間之內發生這麼多事，可是這個主角沒有激動感受，甚至沒有感受，所有外在事件跟他的存在之間是有一段距離的。

這就是個人對於自我存在 perception，極端的荒謬感。

卡繆不只是作品荒謬，連他的死都很荒謬。卡繆一輩子最討厭汽車，然而他最後死在一場車禍裡，他的好朋友迦里瑪的車，他本來要搭火車，死的時候，火車票還在他口袋中。

生命中有比這個更荒謬的嗎？然而這荒謬是不可思考的，只能被感受。你讀《異鄉人》，對於默耳索的無感受，一定深有感受。那種感受卡繆不是用說的讓我們知道，而是呈現。人在生命當中幾乎是終極不可解釋的那個荒謬性的黑暗的呈現，藉由這種呈現我們才得到對生命無名恐慌的一點點紓解。

讀卡繆同時一定會把我們帶到《薛西佛斯的神話》（*Le Mythe de Sisyphe*）。

薛西佛斯是一個倒楣的希臘神，他被懲罰每天推著大石頭上山，推到山頂，噗嚕噗嚕石頭又滾下來。以前的人都認定薛西佛斯做的，是最無聊的事情，徒勞無功是他得到的最大懲罰。

可是卡繆替他作翻案文章，他說薛西佛斯每一次將石頭推到山頂，看著石頭掉下去，他認知了自己生命沒有任何希望，不可能靠任何自欺的希望卻還是活著，這是最勇敢的事。在這點上，他勝過了他的命運。

殺了一個人、跟情人作愛，我們以為最能衝擊生命的事情，卡繆告訴我們：那是荒謬的；每天每天推石頭上山，只為了讓石頭掉下來，我們認為最荒謬的，卡繆偏偏要告訴我們說這是有意義的。在這中間我們認識了某一種沒有辦法用其他形式、沒有辦法在別的地方認識的東西，就是那個年代存在主義文學或存在主義小說所隱含、所要傳遞的重要訊息。對於生命意義常識的逆反，以及由逆反帶來的重新思考。

當然不是每個人都看得懂《卡拉馬助夫兄弟們》，或《雙重人》（*The Double*）或《地下室手記》（*Notes from Underground*），可是杜斯妥也夫斯基那種陰暗，連上帝都不是光明的，連上帝都是陰暗的生命情調，透過小說，即便只是一知半解的讀者，都免不了受到感染。

同時期文藝青年還讀赫曼．赫塞（Hermann Hesse）的《流浪者之歌》（*Siddhartha*），寫的是悉達多，或者是釋迦牟尼的故事。然而赫曼．赫塞把原來印度佛教創教者悉達多王子，跟後來得道的釋迦牟尼分開來，這本來是同一個人，他當王子的時候叫悉達多，得道了以後變成釋迦牟尼。可是小說中，悉達多是悉達多，釋迦牟尼是釋迦牟尼，悉達多還曾經向釋迦牟尼求道，悉達多的好朋友跟隨釋迦牟尼去了，悉達多卻沒有被釋迦牟尼說服，他還要在庸俗人間有各式各樣的歷練，例如跑到一座城裡賺了很多錢等等。所以禪學大師鈴木大拙評論《流浪者之歌》就說：「赫曼．赫塞把佛教中原本已經得到的答案，重新寫成了問題。」釋迦牟尼代表的答案，悉達多卻要當作問題再問一次，甚至一直問下去。

台灣現代小說受存在主義影響很深的，有王文興的《家變》，《家變》深刻描繪了一個人無法在自己跟家庭之間找到有意義的連結。《家變》之所以「變」，不完全來自於代溝的問題，代溝是其中的一個原因，更重要是因為主角范燁根本不能跟周圍的生活溝通，他無法在周圍的生活當中找到意義。這是《家變》背後真正最黑暗的東西。

這種黑暗通向卡繆，通向西方的存在主義，我們今天讀《家變》時，不能只讀到父子兩代的衝突，而忽略其背後更深層的生活荒謬與人性黑暗。

我一直在想，六〇年代的人其實比較幸福，曉得什麼是黑暗的人，是幸福的；懂得如何把黑暗講出來的人是幸福的。雖然講述的時候說：黑暗是荒謬的，黑暗是可怕的，黑暗是痛苦的，但只要能意識到什麼是黑暗，還能清楚的藉由小說或藉由書寫發抒出來，其實就是一種幸福。

六〇年代、七〇年代的寫作者，他們對政治、社會以及生活環境有許多不滿，而且那種不滿具有普遍傳染性，在那個時代，我們讀西方這類的小說意見時，很快可以把它們對四周荒謬存在的問題、黑暗正義的問題，跟我們自己所處的環境結合起來，然後去找到一種主題，再去找到一種形式予以表現出來。

那個時期文學中有一股特殊的力量，今天我們很少在別的地方感受到。佛洛伊德宣示了，黑暗是不可逃避的，無論再怎麼樣追索下去，黑暗都在那裡，並不是說把它挖出來了，就可以解決掉。黑暗是永恆的，當我們在講黑暗、Dark Side 或黑暗之心的時候，講的就是這個永遠不可逃躲的黑暗。

梁啟超沒有黑暗嗎？梁啟超當然也有他的黑暗，他那個時代所流行的晚清小說，最重要的文類叫做「譴責小說」，也叫「黑幕小說」，主題就是暴露社會的黑暗面，然而那種黑暗不一樣，他們相信將社會的黑暗面揭發出來了，就可以把黑暗除掉。那裡有一個清楚的白，跟一個清楚的黑，黑白那麼清楚，就不再是黑暗，不是人的 Dark Side，不是 Heart of Darkness，借用康拉德的書名來說，那不是真正的黑暗之心。

倒也不是說只有在西方存在主義小說，才看得到黑暗與黑暗之心。有時候在奇怪的地方，黑暗與黑暗之心，會悄悄地被揭示出來，只是我們不見得意識得到。例如說金庸小說裡有一個很怪的角色，叫做楊過。楊過是金庸小說中最不可解的一個角色，因為他是黑白完全結合在一起，而且他並不是說有黑有白，不只那樣。

岳不群夠黑了吧，岳不群夠是黑與白在同一身了吧，可是我們知道，岳不群的白是假的，他的黑是真的；我們也知道，把岳不群殺掉了，他的黑就同時解決了，因為他真正的內容是黑，卻假裝成為白。楊過不是這樣，楊過他的黑就是他的白，他的白就是他的黑，這兩樣完全摶合在一起。楊過是金庸小說裡最西方式的一個角色，也是最難用一般中國式，或中國傳統章回小說的路數去理解的角色。

楊過上升，或墮落，就變成韋小寶。韋小寶是楊過的「輕薄版」，意思是在他身上一樣，黑跟白總在一起，他最了不起的地方，就是隨時可以騙人；他最了不起的地方，就是在妓院裡學到的那些本事，而最後江湖英雄豪傑，從皇帝以下到武林盟主，到身邊的七、八個老婆，全都被他騙得團團轉。可是他缺乏楊過身上的一樣東西，就是那個深沉內在，黑暗的 consequence。

金庸刻意把韋小寶寫成不管他再怎麼黑白交錯，最終的結果都是好的。楊過不是。讀小說讀到楊過，會起雞皮疙瘩，因為他最 unpredictable，你沒有辦法預期他會做什麼。從黑暗的角度來看，即使是金庸小說，大家認為已經很熟悉的小說，都可以挖掘出不一樣的東西。

30

一部大家熟悉的小說——《福爾摩斯探案》，也可以從 Dark Side 來挖掘。我最早讀福爾摩斯，讀東方出版社的改寫簡本，看得不過癮，就到舊書攤找到一大本紅皮精裝的《福爾摩斯探案全集》。那翻印一九二〇年代的老本子，完全是硬譯直譯，所以會看到「密斯脫福爾摩斯」如何如何，或「達克多華生」如何如何，真是奇妙。

可是我們當時能看到的，不管東方版本或者硬譯全集，都漏掉了一個部分，這個部分到七〇年代才被回頭挖掘探討，那就是柯南道爾（Athur Conan Doyle）多次提到福爾摩斯使用古柯鹼的狀況，這是柯南道爾當時已經寫下來的，福爾摩斯對我們今天認定的「毒品」的使用，是不是古柯鹼才使得福爾摩斯能夠經常保持那樣清醒、敏銳、卻又亢奮的心靈特色？

福爾摩斯，一個科學理性的代表，象徵著理性的 triumph，所以歪扭的犯罪心靈被福爾摩斯的科學理性一照，立時暴露了所有的黑暗。然而柯南道爾寫這樣一個虛構角色，一個對抗黑暗、揭露黑暗的人，他並沒有將福爾摩斯寫成純粹光明的人，柯南道爾意識到福爾摩斯自己需要有非常深刻的黑暗面，他才有可能與黑暗周旋，找到並辨認黑暗。從這種角度重讀福爾摩斯探案的一些細節，我們會有不一樣的感觸。

又例如米蘭．昆德拉（Milan Kundera）的《生命中不可承受之輕》（*L'Insoutenable Légèreté de l'être*），書名就表達了一項洞見，以前大家認為是非、黑暗與光明，都是沉重的，尤其黑暗，那是最可怕的，當然是沉重的，是生命中無法承擔，所以只能逃避的東西。米蘭・昆德拉卻要藉小說翻案，他要說最可怕的，最不可承受的，不是罪惡，不是沉重，而是生命當中找不到任何 anchorage 的那份 lightness，那份「輕」。

那本小說裡的主角 Tomas 面對所有的事情，他都沒有罪惡感，他甚至沒有辦法強迫自己形成罪惡感，所以令人無法承受的，不是罪惡，而是不再能感覺到罪惡的那份 lightness。漢娜・鄂蘭（Hannah Arendt）講得最好，她說納粹最大的罪惡在 banality of evil，連邪惡都變成庸俗的，連邪惡都變成是沒有重量的，這不也就是米蘭昆德拉要講的嗎？最黑暗的地方，在人心中連黑暗應該帶來的沉重，都無法感受，那麼就沒有了是非，也就什麼事都可能發生了。

梁啟超說新社會一定要有新小說，尤其要有把黑暗揭發出來的小說，可是如果連黑暗在哪裡都不知道，連黑暗的重量都感受不到了，人就進入到了一種新的黑暗，更深沉的黑暗，更可怕的黑暗。

還有很多人讀過的「惡童三部曲」（即《惡童日記》〔*Le Grand Cahier*〕、《二人證據》〔*La Preuve*〕、《第三謊言》〔*Le Troisième Mensonge*〕），也有西方

文學上的傳統源流。

兒童通常和 innocence 天真，結合在一起，所以當兒童變得邪惡時，那個邪惡是最絕對的，那個邪惡是最可怕的。

從這個傳統來看的話，「惡童三部曲」雖然驚人，卻並不是真的那麼好的作品，在這個文類裡最好的一本小說，應該是亨利・詹姆斯（Henry James）的《*The Turn of the Screw*》，因為電影的緣故，這書翻成中文，有一個美得很俗或俗得很美的書名，叫做《碧廬冤孽》。

《碧廬冤孽》奠定了將小孩寫成邪惡化身的文學傳統，讀來讓人渾身一直起雞皮疙瘩。「惡童三部曲」裡的惡，很多是惡作劇引發出來的小孩的壞，可是《碧廬冤孽》裡的小孩純然是邪惡，是某種邪惡力量的化身，閱讀的過程當中，讓人一直害怕，一直懷疑，也一直考究。喜歡《惡童日記》的人，不妨也去讀讀《碧廬冤孽》，大有助於理解什麼是西方式的 Dark Side。

31

西方對於黑暗探索最全面也最深的是「現代主義」，「現代主義」在台灣也曾一度流行。流行的成果表現在現代詩，比表現在小說強烈。五〇、六〇年代重要的詩集，光看書名，就可以感受到現代主義黑暗想像的影響，像瘂弦的《深淵》、洛夫的《石室之死亡》，或者是商禽的《夢或者黎明及其他》。

相對地，關於惡，那不可說卻又非說不可的黑暗，台灣小說的發展就比較短，「現代主義」在台灣其實沒有很長，尤其是小說，很快就轉向了，走回寫實主義「人生文學」的路子，然後又有「鄉土文學」對現代主義提出嚴厲批判。

台灣的「現代主義」小說，表現得最清楚的，有一個選集，當年齊邦媛他們幾個外文系教授，本來為了要把台灣文學（當時說是「中國現代文學」）推銷到美國去，而編了一個選本，先出了英譯本，後來將收集的作品用中文原貌又出版了一次，書名就叫做《中國現代文學選集》，最早是「書評書目」出版的，後來又有「爾雅」的版本，因為這個背景，所以集子裡有比較多黑暗的東西。例如有一篇很黑暗的小說，是奚淞寫的〈封神榜裡的哪吒〉，小說裡把哪吒的故事，原本中國式惡的概念，環繞著「剔骨還肉」，改寫成了最驚悚的父子衝突，西方式的人性黑暗。

還有王文興的〈黑衣〉，寫一種完全莫名其妙的邪惡，一個穿黑衣的人在人家家中宴飲應酬的場合，偷偷露出猙獰的面目去驚嚇主人小孩，幾乎沒有任何理由，王文興寫出了接近於絕對的黑暗或絕對的惡的東西。

王文興有本小說集，《十五篇小說》，再無害再平凡不過的書名裡，卻藏了許多人的荒謬性，也追溯到人的根源性的惡，恐怖得很。例如有一篇〈命運的跡線〉，寫一個小孩如何因為受不了自己的掌紋，就用刀片割劃自己的手，想要以此改變自己的命運。

還有一篇短篇小說，述說一個小孩，有一天心血來潮自己畫月曆，每個月一天一天寫上去，一直畫……一直畫一直畫……突然他發現所畫的月曆已經超過他可能活的日子，因而大哭起來，如此而已。但小說內在帶有一股力量逼我們感受到，不只是生命之短暫，還有被化約在月曆上的生命的荒蕪，及其內在來自於無意義的黑暗。要了解「現代主義」對台灣的影響，《十五篇小說》是很好的典範。

32

寫實主義在西方，因為受到十九世紀流行的科學主義衝擊，後來進一步發展成自然主義。自然主義是把小說當科學實驗，不過自然主義傳到日本，卻產生了奇妙的轉折。

日本明治時代，自然主義小說大流行，那個時候，剛好日本學習西方，正在經歷個人主義覺醒的變化，自然主義跟個人主義原本很難結合，可是在日本因為時機的湊合，這兩個元素加在一起，產生了「私小說」。「私」就是我，「私小說」就是寫自己的小說，這是個人主義的影響，不過寫自己，要寫什麼呢？日本文學從自然主義得到暗示與教導，認定要寫就要寫遺傳和環境對一個人的模塑作用，而且應該從壞的方向寫，才能發揮自然主義要的科學實驗效果，「我」的形成，誠實記錄下來，等於是一個實驗個案，讓大家了解，遺傳和環境如何決定人的命運與遭遇。

於是，「私小說」有很大一部分都在強調個人的惡德，寫少年怎樣做壞事，以此來凸顯遺傳的作用、環境的作用。像是谷崎潤一郎，我們對他《細雪》裡表現的那種纖細細膩的東西很熟悉，對他後來「新感覺派」的風格很熟悉。然而，谷崎潤一郎的成名作《少年》，是一本充滿惡德惡戲描述的小說，那是他「私小說」風格的代表作。

「私小說」流行時，日本出現一大堆少年惡德小說，後來有一部小說成為變化關鍵，那就是堀辰雄的《麥桿帽子》（麦藁帽子）。從《麥桿帽子》開始，「私小說」轉向了。《麥桿帽子》寫的成長經驗，沒有太多惡德惡戲，卻充滿了細膩的感覺，那種少年時期的多感傷感，長大通常就消逝了的感覺。《麥桿帽子》的成功、流行，宣告了一個態度——社會的東西其實不適合由私小說來擔任，畢竟私人經驗再怎麼豐富都無法代表整個社會，西方自然主義也受到同樣的質疑，所以「私寫作」，以我出發來寫，最有價值的東西，不在社會經驗與教訓，而在於獨特的感覺。

「私小說」有了一個浪漫主義轉向——我的經驗最有價值的地方，就是只有我能感受到的感覺，而這也就是新感覺派的興起，谷崎潤一郎也就順理成章從「私小說」轉過去，成了日本新感覺派的宗師。

中國三〇年代上海的新感覺派，幾乎完完全全是從日本移植過去的，裡面很多作品是仿襲的，日本新感覺派寫什麼，施蟄存、劉吶鷗他們也跟著寫。上海的新感覺派是非常非常小的一個圈圈，在上海存在的時間也很短。從中國新感覺派以及徐志摩式浪漫主義的起落，我們清楚看出，那個時代，中國有強大的力量不斷取消文學內部的個人性，不管是好的個人性或壞的個人性，在小說必須要負擔群治責任的情況下，都無法發展。

新感覺派在中國沒有辦法發展下去，中國原來的抒情派或浪漫派，在徐志摩死後也逐漸沒落，這是同樣的歷史條件下同時發生的。

T B 10 25 50 100
Kodak Anastigmat
KODAK
NO.1

33

二十世紀，印度以外的世界所認識的印度人，最有名的一個是甘地（Mahatma Gandhi），另一個是泰戈爾（Rabindranath Tagore）。

英國人很早就認識甘地，尤其是英國和殖民政策有關的人，因為甘地不放過他們——甘地的策略就是不斷激怒英國人，所以英國人當然了解甘地。然而英國以外的歐洲人認識甘地，倒是有一個特別的機緣。一九二四年，一本重要的甘地傳記在歐洲出版。英國以外的歐洲，至此才真正認識到甘地的意義——甘地是個什麼樣的人，他到底在主張、宣揚什麼，他在用什麼樣的方式來對抗遠比印度強大的英國。這本書造成轟動，影響、決定了歐洲如何認識甘地，因為這本書的作者是羅曼．羅蘭（Romain Rolland）。

羅曼．羅蘭不只是一九一四年諾貝爾文學獎的得主，而且他在寫作上最大的成就之一，就是寫了一系列偉人傳記。還沒有寫《約翰克里斯朵夫》（*Jean-Christophe*）前，羅曼．羅蘭寫了三本重要的傳記，奠立了他在法國進而在全歐洲的名聲。一本是《貝多芬傳》（*Vie de Beethoven*）。今天我們所認識的貝多芬形象——一個耳聾、痛苦但是把歡樂帶給世人的音樂家，就是羅曼・羅蘭賦予他的。另外他還寫了《米開朗基羅傳》（*Vie de Michel-Ange*）以及《托爾斯泰傳》（*La Vie de Tolstoï*）。透過這三本書，法國讀者，還有許多其他國家的讀者，相信他對於如何挖掘、呈現「偉大」人物，有獨到之處，且有高度說服力。一九二四年羅曼・羅蘭竟然用同樣的筆法寫一位當代的印度人，當然格外引人注目。大家都好奇為什麼羅曼・羅蘭會覺得應該要為這位印度人寫傳。

一九二四年羅曼・羅蘭寫《甘地傳》（*Mahatma Gandhi*）時，還沒有見過甘地。他對甘地的認識和理解，大部分來自報導和其他人寫的書。兩人遲至一九三一年才見面。甘地因為和英國政府持續糾纏，於是前往訪問英國國會。訪問後，特別跑到瑞士，羅曼・羅蘭的別墅，去拜會羅曼・羅蘭，兩人相處了大約五天的時間。那時甘地的名氣很大了，他的一舉一動都受到歐洲媒體注意。結果倒楣了瑞士那個安靜的別墅渡假區。因為這兩人要會面，新聞記者擁到，從蘇黎士到小城沿途的旅館，都被訂滿了。大家都覺得不能錯過甘地和羅曼・羅蘭這兩位二十世紀和平史上重要人物的初次會面。

這場會面很有意思。兩人對彼此當然有一定的認識。羅曼・羅蘭研究過甘地，而甘地對羅曼・羅蘭的作品以及他在歐洲的地位，也相當了解。可是有趣的是，兩人初見面那天是星期日，第二天就是星期一，而星期一甘地必須奉行印度教的沉默日戒律。換句話說，那一整天，甘地都不能講話。兩個人見面的第二天甘地就不講話了，該怎麼辦呢？只好羅曼・羅蘭一個人講話。羅曼・羅蘭選了一個主題為甘地做報導。報導什麼呢？他選的題目很重要，也很有意思。他告訴甘地，他所觀察到一九〇〇年以來歐洲發生的變化。甘地靜靜地聽了一天，好不容易過了沉默日，星期二甘地可以講話了，羅曼・羅蘭急著問甘地有怎樣的感想。甘地說：「我現在了解了你這個人。你從歷史上學到很多，不過我比較看重的是經驗。」甘地還說：「我可以深刻地理解你對一九〇〇年以來的歐洲，充滿了憂慮。而且這個歐洲帶給你極大的痛苦。」

「憂慮」和「痛苦」，正是理解羅曼・羅蘭其人其作的兩個關鍵詞。

羅曼・羅蘭在一九一四年得諾貝爾文學獎，當然大家會把他跟之前得獎的泰戈爾聯想在一起。羅曼．羅蘭認識泰戈爾遠早於他認識甘地。他對於印度的認識，甚至他開始聽到甘地的名字，都是因為他跟泰戈爾之間的關係。所以在甘地訪問羅曼．羅蘭的時候，當然就有好事者發問，請羅曼．羅蘭比較甘地跟泰戈爾。羅曼．羅蘭回答說：「甘地是全然屬於人群的人，而泰戈爾是希望屬於人群，但在人群中卻極度不安的人。」

羅曼．羅蘭進一步說明，甘地到了任何地方，都是沉默而安靜的，他整個人融入群眾之中，所以不覺得他跟群眾的聲音之間要有任何競爭。他被群眾的聲音所淹沒，非常自在。泰戈爾在群眾之中很恐慌，因為他害怕群眾將他的聲音給淹沒了。他覺得在群眾的吶喊聲中，就會沒了他自己的聲音。

34

對羅曼．羅蘭來說，一九〇〇年以來的歐洲，最大的變化一定是一九一四年，羅曼．羅蘭拿到諾貝爾文學獎的那一年，爆發了我們稱為第一次世界大戰、當時稱為歐戰，那一場龐大的戰爭。這一場戰爭意義深遠。英國史家霍布斯邦（Eric Hobsbawm）將這場戰爭當作十九世紀與二十世紀的分界點，因為這場戰爭隔開了兩個不同的世界。

在歐洲，戰前的普遍氣氛是樂觀的。就算有不如意，有挫折，十九世紀歐洲人基本上相信，世界會愈變愈好，而且世界會不斷地變好下去。活在維多利亞時期的英國人，他們可以清楚地感覺到，在我有生之年，這個世界不斷地在變好。可是，那種進步的、樂觀的預期，在一九一四到一九一八的第一次世界大戰之中，被徹底地摧毀了。這對歐洲人來說是最可怕的一件事。

十九世紀中，席捲全歐洲的兩支主流想法，一支是「社會達爾文主義」（Social Darwinism），達爾文主義主張「適者生存」——整個世界都在競爭當中，最能夠適應這個世界的人，才能夠活下去，而其他人會被淘汰。但是要注意，「社會達爾文主義」其實將「適者生存」顛倒過來，變成「生存者皆為適者」。

達爾文原來的說法是，如果你有一個什麼樣的生物特徵，剛好可以適應環境，你的後代就會不斷地繁衍，會比別人繁衍地更多。倒過來看的話，現在的這個環境，如果有誰過得特別好，這就證明他是最適合在這個環境中競爭的人。所以這和樂觀進步的思想，就可以很明確地勾搭上——歐洲人在全世界中看起來過得最好、變化最快而且進步最多，於是他們認為，這就證明了歐洲人是最適合現代社會的一個物種。今天的成果證明了歐洲人是優秀的物種，所以歐洲人會一直贏下去。

另外一支是「進步史觀」（Idea of Progressive History）。「進步史觀」相信，人類歷史的演化是有方向、有主題的。其主題就是，愈遠古的時代，人愈蒙昧、愈落後，透過了不斷的嘗試、失敗與改變，人類不斷地找出正確的好方法。因此人類的文明不斷累積，不斷往前進。「進步史觀」也一定是樂觀的，因為今天比昨天好，所以我們就能推論明天會比今天更好。十九世紀歐洲非常樂觀，相信人類文明不斷往前進，我們今天受不了的東西，明天會被淘汰；今天我們認為不方便的東西，明天會有新的發明予以取代。

歐戰之可怕，因為那是一場最不合理的戰爭。歐戰不僅最無效率，造成巨大的人員死傷，而且死亡的方式上也荒謬到了極點。透過像雷馬克（Erich Maria Remargue）的作品《西線無戰事》（*Im Westen Nichts Neues*），整整一百年後，我們到今天都還能感受到那種荒謬，以及荒謬帶來的虛無悲觀。

35

雷馬克的《西線無戰事》成為反戰經典，因為這本書完全掌握了第一次世界大戰的荒謬性。一次大戰時年輕人一批又一批被送上戰場，進到壕溝裡。壕溝戰真的是人類有史以來所發明的最荒謬的戰法。大家各自在自己的防線上挖壕溝，然後躲在各自的壕溝裡。你躲在你的壕溝、我躲在我的壕溝，仗打不下去，所以每隔一段時間，有一邊認為自己的人比較多、火力比較強，就吹起進攻的號角，這邊的人爬出來，要去奪取別人的壕溝。可是你在開放的空間奔跑，對方等在壕溝裡，這樣進攻只會有一個結果——進攻的一方永遠到不了對方的壕溝。在可能不到兩百公尺的距離中，死傷狼籍。對方用機關槍一類的武器不斷掃射，進攻的十個人出來，最後大概只剩兩個人還活著退回壕溝裡。

好了，這一群人原來可能有八千人，進攻一次只剩下一千人。另一邊一看，對手人少了，於是也把號角吹起來，大家出了壕溝衝上去，在過程中又死傷一大半，又回到自己的壕溝。兩、三年的時間，戰爭就以這種形式反反覆覆進行著。戰爭沒有任何進展，而「進步史觀」認定的最新、所以也就是最優秀的一代，如此莫名其妙地葬送在壕溝裡。

還有一項可怕的荒謬，也在雷馬克的作品中充分地反映。他描述的戰爭情景，真是讓歐洲人心痛。他寫到他躲在一個彈坑中，突然彈坑中跳進來一個敵人，他直覺地將刺刀刺進那人的身體裡。然後在長達一整天的時間中，他和那重傷將死的敵人一起困在那個彈坑裡，感受那人逐漸死去。

他突然無法理解，為什麼需要殺死對面那個人。他開始祈求那個人不要死，給他水喝。接著，他不知道為什麼那個人和他之間會有必須你死我活的仇恨。那不過就是一個和他一樣的人，一個有名有姓的法國印刷工人，皮夾裡帶著家人的照片。

為什麼我們會成為這樣彼此廝殺的敵人？雷馬克問。許多歐洲人在戰爭震撼下，不得不問。

這後面有一個重要的背景，也就是二十世紀初承襲自十九世紀的另一項特色——歐洲還沒有被民族國家徹底分化。所以大家在打仗的時候，還是會想，我們到底有什麼差別？我們的差別真的有大到要你死我活嗎？如果這個時候，一個歐洲人面對的是摩爾人、或是日本人甚至中國人，我相信他不會有這麼大的震撼。因為他會清楚地知道，你和我如此不一樣。可是一個德國人和一個法國人的差別到底在哪呢？這是那一個時代重要的心理背景。

要了解羅曼．羅蘭，先要了解他屬於第一次世界大戰戰前的最後一個世代。他在戰前的氣氛底下成長，更重要的，他的人和他的作品所呈現出的，正是戰前世代對於即將到來而無法抗拒的二十世紀，最後的掙扎以及幻滅。

36

第一次世界大戰前的歐洲長什麼樣子？和戰後的歐洲有什麼根本的差別？

對於這個問題，沒有比彼得・杜拉克（Peter Drucker）的〈老奶奶與二十世紀〉（Grandmother and the Twentieth Century）更能鮮活、明確呈現了。這是杜拉克的回憶錄《旁觀者》（*Adventures of a Bystander*）中的一章。這本書有趣極了。當時六十多歲的彼得・杜拉克透過生命中遇過的十五個人來回顧一生。他寫的第一篇就叫做〈老奶奶與二十世紀〉。

彼得・杜拉克在維也納出生、長大。他出身顯赫的歐洲貴族家庭。他的老奶奶，光看她的背景就夠嚇人了。她是克拉拉・舒曼（Clara Schumann）親自教過的學生，是位很好的鋼琴家。喜歡古典音樂的人知道，克拉拉是舒曼（Robert Schumann）的太太，她的名字還和另外一位偉大的作曲家——布拉姆斯（Johannes Brahms）連在一起。布拉姆斯最大的快樂，就是他一輩子都愛著克拉拉；但是他最大的痛苦就是，克拉拉是他老師的太太。杜拉克的老奶奶跟克拉拉學鋼琴時，還曾在布拉姆斯面前彈奏布拉姆斯的作品，那是多麼特別的經驗！

杜拉克形容這個活過十九世紀的老奶奶，面對二十世紀發生許多好玩的事。比如說，老奶奶家裡堆滿了東西，她從來都不整理，常惹來家人抱怨。有一天老奶奶高興地說：「好啦，你們不用再怪了，今天我可整理好了，你們來看一下。」大家去看，結果發現每一個架子上不僅東西都整理好了，還貼有標籤。有一個很有趣的架子，上面貼的是「沒有把手的杯子」，架子上排了一堆斷掉把手的杯子。下面還有一個架子——「沒有杯子的把手」。

彼得．杜拉克講了另一個故事。有一天老奶奶拿了一包她認為非常貴重的東西，到銀行去，跟銀行櫃檯說要存這包東西。銀行行員跟她說，對不起，只有錢可以存。老奶奶就說：「錢是很貴重的東西，我這包也是很貴重的東西，為什麼不能存呢？」行員一看裡面拉里拉雜，怎麼存呢？便說，對不起我們實在無法服務。老奶奶氣死了，就說那算了，我也不要把錢存在這裡了，我要把我的錢都領出來。行員只好乖乖地把錢給她。拿了這錢你知道她下一步幹什麼?她走了幾條街，找了另一家銀行把錢存進去。有意思的是，那只是同一家銀行的另外一間分行。

她的兒子，也就是彼得·杜拉克的爸爸忍不住問她：「如果真的那麼討厭這家銀行，為什麼會跑到另一間分行去呢?」老奶奶說：「沒辦法，我跟這家銀行有感情，這畢竟是你祖父創辦的。」她兒子便問她說：「好，那妳跑到另一家分行去，為什麼妳沒有要存那包東西卻只存錢呢?」她說：「那不一樣啊。原來那家分行我跟他們已經來往很久了，但我跟新的分行沒有那份交情。」換句話說，老奶奶覺得：因為和舊分行有交情，所以可以要求人家破例接受存這包東西；但和新的分行還沒有建立交情，就不能提出同樣的要求。

老奶奶每次去買東西都會耍賴。當老闆跟她說雞蛋兩千塊一斤，老奶奶就說我那個時代雞蛋只要六十塊。老闆說，時代改變了嘛。她就說，你的意思是時代改變了，雞吃的比較多所以雞蛋變貴了嗎?沒有道理嘛!這件事讓在財政部工作的彼得·杜拉克的爸爸感到很尷尬。他特別教她，以前六十塊的東西，今天變成了兩千塊，中間有一個公式可以換算。妳要知道人家是不是算貴了，用換算表算一下就知道了。沒想到他媽媽罵他說：「我哪有那麼多閒功夫？你以為以前東西多少錢我都會記得嗎？」這兒子一聽傻了，他說：「妳不就是因為記得過去東西多少錢才跟人家吵嗎？」老奶奶回答：「我覺得人的腦袋不應該用在這種無聊的事情上。」她兒子受不了了：「可是妳明明每次去都跟人家說這東西以前多少錢多少錢啊？」老奶奶答說：「我哪記得以前多少錢，但是不這樣講的話，我怕他們會騙我嘛！」

有人跟老奶奶說，現在需要護照才能旅行，也就是說官僚體系認證不認人，你不能再像以前一樣，愛去哪就去哪，所以一定要申請護照。

結果老奶奶效率驚人，她在兩天之內弄了四本護照。彼得・杜拉克的祖父是英國公民，所以老奶奶弄了本英國護照。她的兒子，也就是杜拉克的爸爸，在奧地利的財政部任職，所以她也辦了一本奧地利護照。而她的先生以前在捷克有一間房子，雖然房子賣掉了可是並沒有人知道，所以她藉著在捷克有財產這件事，也弄了本捷克護照。然後彼得・杜拉克的姑姑住在匈牙利，老奶奶就說妳順便也幫我申請個匈牙利護照好了。所以老奶奶每一次旅行，好偉大，過境的時候四本護照一攤說，你覺得哪本護照比較好用你自己選。過境的官員覺得不可思議，一個人竟然能有四本護照。

這些故事確切指出了十九世紀和二十世紀的差異。

37

在歐洲的經驗中，十九世紀和二十世紀有什麼差別？

第一項差異是貨幣。在十九世紀絕大部分的人仍然相信，貨幣和物品之間的關係是固定的。二十世紀則進入到一個貨幣不確定的時代，最新的現象叫做通貨膨脹。本來六十塊錢的東西會變成兩千塊，第一次世界大戰之後，你甚至不敢說它明年會不會變成兩千五百萬。所以貨幣以及貨幣在我們生活裡所扮演的角色，和以前大不相同了。以前至少絕大部分人感覺到的貨幣，是一個常數，是不會變動的。但是從十九世紀走到了二十世紀，貨幣成了一個變數。

第二項，從彼得．杜拉克老奶奶的銀行故事裡，我們看到了人與人之間的關係。十九世紀的人有一種預期——那就是你要提供我什麼樣的服務，是基於人際相對關係。而二十世紀引進了一個新的時代，這個時代叫做——服務一致化的時代。所有的東西都要規律化，你是什麼樣的人、你跟我之間到底有多少交情，都不重要。我頂多可以拿櫃檯上的免費糖果請你吃兩顆，卻不能因為你是老主顧，就還幫你存一些不是錢的東西。老奶奶帶著十九世紀的概念，就是要用她的交情去叫人家破例。為什麼這樣的破例對她來說理所當然呢？因為十九世紀的制度性的「例」還沒有那麼嚴格。

還有第三項差異。今天的歐盟從一九五五年《羅馬條約》開始形成，經歷後來的歐洲共同經濟市場，再到成立歐盟，終於做到了拿歐盟任何一個國家的簽證，都可以在歐盟裡自由旅行。這是多麼大的一個變革！但是在慶讚歐盟的簽證大突破時，我們顯然忘了，護照、簽證、國與國之間的關卡，在歐洲的內部其實是很新的東西，一直到二十世紀才出現。

老奶奶對待護照的態度，表現了她對這件事的鄙夷，不願接受作為一個歐洲人在歐洲旅遊竟然還需要護照的事實。這又是十九世紀式的想法，「我為什麼要護照呢？」一九一八年第一次世界大戰結束之後，歐洲才開始全面有了護照、全面建立簽證制度。換句話說，民族國家的壁壘才真正建立起來。

美國史學家彼得·蓋伊（Peter Gay）花費了十幾、二十年進行十九世紀維多利亞時期社會的研究。他得到了一個弔詭的結論：「維多利亞時代的人過的生活，一點都不維多利亞。」（Victorians are not Victorian.）意思是，歷史學建立了很多關於英國維多利亞時代的概念，其實並不符合當時人生活的真實景象。

為什麼會產生這種狀況呢？因為我們今天所想像、所看到的那些十九世紀最重要的特色，包括資本、工廠制度、奴工這些東西，其實是非常小的區域、非常少數的人，他們所過的一種新的生活方式。包括民族國家，民族國家在十九世紀是一個全新的東西，在十九世紀還來不及滲透到一般人的生活裡面。

民族國家是一個重要的概念、一個革命的口號，在很多關鍵的事件上發揮過作用，例如說義大利的統一、德國的統一以及德法之間的戰爭。可是一個在十九世紀從年輕活到老、一輩子住在維也納的老太太身上，並沒有感覺到自己是民族國家的一分子。或者說，民族國家一分子的這個身分，並沒有超越她其他的認同。

什麼時候民族國家才真正變成大部分歐洲人生活中逃避不掉的部分呢？一九一四到一九一八年的第一次世界大戰，就是轉捩點。

38

歐洲雖然分成很多個國家，但其歷史背景中有強大的共通性。首先是基督教。羅馬帝國崩潰之後，不管後來分出多少國家，基督教和承載基督教義的拉丁文變成他們共同的語言。

幾項歷史上重要的運動，從今天的角度來看，都是跨國界的。文藝復興是一個跨國界的現象。雖然它以義大利作為中心，可是例如說莎士比亞的文學，就是不折不扣文藝復興時代的產物。文藝復興結束之後，啟蒙時代與大革命，整個歐洲都被席捲在其中。

所以當十九世紀歐洲開始產生一種新的組織原則，也就是民族國家時，這個原則必須要對抗歐洲內在長期混同的歷史底流。十九世紀裡，民族國家表面上得到了勝利，可是骨子裡，絕大部分的人還是像杜拉克的老奶奶，不知道或是不屑知道，護照到底是什麼東西。為什麼能拿四本護照很誇張？因為民族國家是排他性的。屬於這個國家，就不能屬於另外一個國家。這是一種非常新鮮的、人與人之間的組織方式。

羅曼．羅蘭是「戰前世代」最後幻滅與掙扎的代表。他出生於一八六六年，在法國勃根地的一個小城長大。他爸爸是小城裡頗有地位的公務員。但是為了羅曼．羅蘭的教育，爸媽特別從勃根地搬到巴黎。為了搬到巴黎，爸爸放棄了在勃根地很穩定、很有地位的文官身分。他爸媽的認知是：住在勃根地是活在法國，只有到巴黎，才是活在歐洲。這是巴黎和勃根地最大的差異。

羅曼・羅蘭在巴黎受教育，念了巴黎高等師院。那是法國菁英教育的核心機構，法國最重要的人物幾乎都是那個學校畢業的。羅曼・羅蘭考了三次才考上這所極度難考的學校。一八七〇年普法戰爭法國戰敗，對羅曼・羅蘭那一代造成很大的衝擊。除此之外，他成長的時期，法國中產階級持續興起，中產階級的價值變得愈來愈重要。

十八世紀中，對抗皇權、對抗教權的第三階級勢力興起，到了十九世紀，中產階級強大到越過了原來的皇權與教權，變成社會價值的制定者。中產階級是什麼？中產階級和貴族、教士有什麼最大的不同？福婁拜（Gustave Flaubert）說過一句話，描寫中產階級的精神，他說：「中產階級要是有機會上到奧林匹亞山上，也一定會努力找一塊小小的地種自己的菜。」

這句話反映出中產階級的許多特色。第一，中產階級不識貨，他不了解什麼叫做高貴。他不知道在自己的生活之外，還有更高的東西。所以就算到了奧林匹亞山上，希臘諸神的世界，他也不知道、不會理解那是神的世界。

第二件事情，中產階級再小的利益也要汲汲奪取。所以在神殿裡他都不會想要去認識宙斯或是結識邱比特，他只想到，啊，這裡有一塊地好浪費，我們來種點菜吧。這句話對於中產階級的諷刺跟描寫，多麼傳神！但是這背後同時還有言外之意——中產階級很勤勞。

中產階級興起壯大，也引起了反動。如果中產階級的價值壟罩了一切，那麼人類的視野裡，就會少了一樣重要的東西，這東西叫做「英雄」。中產階級的價值裡，不會有英雄。羅曼．羅蘭成長的那段時間，一方面中產階級的價值愈來愈強悍，另一方面它所刺激出的反抗潮流也愈來愈洶湧。中產階級的「種菜哲學」，在十九世紀愈顯重要、愈來愈具有決定力量；可是各個角落，對於英雄的強調，也用一種過去所沒有的淒厲而高亢的聲音爆發出來。

39

十九世紀一部重要經典，是英國歷史學家卡萊爾（Thomas Carlyle）的講稿，書名叫《英雄與英雄崇拜》（*Heroes and Hero Worship*）。為什麼卡萊爾要談英雄與英雄崇拜呢？因為他感覺到那種中產階級價值籠罩帶來的苦悶。覺得自己處在一個沒有英雄的時代，周遭的人甚至不認識英雄是怎麼回事。一個英雄站在你眼前，你甚至只知道要說：「拜託借過，讓個路。」因為大家不認識英雄，所以卡萊爾要教導如何理解英雄，如何了解英雄精神。

羅曼・羅蘭成長過程中，對他影響最深的，就是英雄主義、英雄精神，以及尋找英雄的衝動。他一直不斷在尋找各式各樣的英雄。他曾經找到幾個英雄的可能人選。他非常佩服莎士比亞（William Shakespeare）、更佩服貝多芬（Ludwig van Beethoven）。羅曼・羅蘭在音樂上極有天分。而且那個時代的歐洲文化裡，音樂與生活如此緊密緊貼。羅曼・羅蘭一輩子沒有正式學過鋼琴，可是當甘地拜訪他的時候，甘地要求羅曼・羅蘭介紹一些貝多芬的音樂，羅曼・羅蘭打開鋼琴開始彈，彈的就是李斯特（Franz Liszt）改編貝多芬第五號交響曲的第二樂章。由此可以想見他的音樂天分。他非常佩服透過音樂所認識的貝多芬，這是他心目中的一個英雄。

他又透過文學，佩服另一位英雄——托爾斯泰。羅曼．羅蘭二十二歲從高等師院畢業時，托爾斯泰發表了一本小冊子。在這本小冊子裡，托爾斯泰把許多在歷史上有重要藝術成就的人痛批一頓，其中包括了莎士比亞以及羅曼．羅蘭心中最大的英雄——貝多芬。這對羅曼．羅蘭來說是很大的打擊，他心目中幾個重要的神竟然打起來了。他實在不懂為什麼托爾斯泰會公開指摘莎士比亞和貝多芬，這對他來說太困擾了。於是年僅二十二歲的羅曼．羅蘭寫了一封信，在輾轉地得到托爾斯泰農莊的地址後，將信寄了出去。一八八七年十月十四日，托爾斯泰寫了一封回信給羅曼．羅蘭，這一封回信，整整寫了三十八頁。

可以想見羅曼．羅蘭收到這封信的時候，有多感動。一個來自幾千公里外法國遠方，托爾斯泰完全不認識的小夥子，莫名其妙寫了一封信來，托爾斯泰，全世界景仰的大師不但回信，還認真誠懇地寫了三十八頁。二十二歲的羅曼．羅蘭收到了這封信，我們可以合理地推斷，信裡一大部分內容羅曼．羅蘭永遠不會忘記。在信中托爾斯泰並沒有認真地解釋他為什麼討厭莎士比亞和貝多芬。可是他提出了一個重要的原則——他認為好的藝術要將人團結起來。這對羅曼・羅蘭非常重要。大概也就是從這個時候開始，羅曼・羅蘭立志要進行文學創作。他給自己的文學口號是：「為所有人而寫的文學。」

他從那時開始所進行的文學批評，大概都是這個方向。他最常採取的態度，就是質疑當時的作家：為什麼你們總是寫一些本地、瑣碎的東西？從左拉（Émile Zola）以降的自然主義精神，描寫生活裡許多的細節、一個人如何因為遺傳和環境的關係而墮落等等，這些東西讓羅曼・羅蘭愈來愈受不了。這些東西到底是為誰而寫的呢？羅曼・羅蘭一直在認真思考，什麼樣的文學是把人團結在一起的文學，什麼樣的藝術是把所有人團結起來的藝術，什麼樣的文學可以為所有人而寫？

40

一八八八年羅曼・羅蘭得了一個歷史獎學金，有機會去義大利一年。他在義大利認識了馮麥森柏夫人（Malvida von Meysenberg）。這位當時已經七十一歲的老太太，跟一個二十三歲從法國來的小伙子，在那一年中成了最要好的朋友。

馮麥森柏夫人在十九世紀是一位活躍於歐洲，重要的社交女王。我們只要隨便提幾個進出她沙龍的客人，就可以知道她的身分地位，譬如說浪漫主義音樂最後重鎮的華格納（Wilhelm Richard Wagner）、很早就發瘋的尼采（Friedrich Wilhelm Nietzsche）、以及義大利重要的政治家馬志尼（Giuseppe Mazzini）。馮麥森柏夫人所交往的對象，是真正十九世紀歐洲的菁英與知識分子。

我們可以猜想，羅曼．羅蘭之所以吸引她，應該是因為羅曼．羅蘭年輕的心靈中，對於英雄以及英雄主義的熱情。而馮麥森柏夫人為什麼吸引羅曼．羅蘭，則是因為她讓他理解到十九世紀那個光輝的歐洲。

那段交情非常感人。他本來要寫一本馮麥森柏的傳記，可惜後來沒有做到。但當他寫到馮麥森柏的時候，每一個段落都充滿感情。在他們要分開的前一天，馮麥森柏終於帶他到華格納的墓上，跟他談這位以前的好朋友。這一段經驗我們可以把它看成是，複習歐洲十九世紀光榮的最後畢業課程。羅曼・羅蘭二十四歲從義大利回到法國時，他已經完成了可以稱之為「十九世紀的全歐教育」的里程。

但也因為他受完了「全歐教育」，一回到巴黎，他就和當時籠罩著巴黎的中產階級價值激烈衝突。大約有二十年的時間，羅曼・羅蘭在巴黎默默做一個音樂史教授，寫了二十幾個音樂劇的劇本。他寫的劇本都有共同的問題。他是英雄主義的信仰者，他要追求偉大，而且他要為所有人而寫。羅曼・羅蘭每次開始寫，就構想要寫長達十本的系列作品。他曾寫過一組戲劇系列，希望用這個戲劇組曲來表達、襯托法國的精神，並解決「法國人是什麼」這個問題。

不幸的是，這組劇本寫了五本，卻一本都沒有上演過，只有一本得到了一個讀劇的機會。那是因為當時一位法國重要的男演員，很欣賞羅曼・羅蘭的作品，特別幫忙力爭在劇院委員會面前讀劇，而且大明星還特別親自來讀劇。根據羅曼・羅蘭自己的紀錄，這個劇一共讀了兩小時零三分鐘，那也是他生命中關鍵的兩小時零三分鐘。這兩小時零三分鐘之後，羅曼・羅蘭的戲劇組曲就崩潰了。因為連這個劇本都沒有被接受。

羅曼・羅蘭接下來又創作了十本戲，但創作的焦點改變了，變成記錄革命悲劇。這很明顯是要模仿巴爾札克（Honoré de Balzac）寫盡法國中產世界的《人間喜劇》（*La Comédie humaine*），而羅曼・羅蘭要寫的革命悲劇，他自己稱之為法國人的《伊利亞德》，也是關於法國人的史詩巨構。但是這個革命悲劇也沒成功，只比之前的戲劇組曲好一點，有兩齣戲曾經上演，但也都不怎麼受重視。

放棄了革命悲劇之後，羅曼・羅蘭下一個創作計畫——一套偉人傳記。這個系列本來也要寫十本，但後來只完成三本——《貝多芬傳》、《托爾斯泰傳》以及《米開朗基羅傳》。除了原來的英雄概念之外，他在偉人傳記中，還明確指示了英雄條件。什麼樣的人能當英雄？英雄是從痛苦當中磨練出來的。沒有不忍受痛苦的偉人，也沒有不追求痛苦的偉人。

他寫的三本偉人傳記，分別代表了從不同痛苦中成為英雄的三種模式。貝多芬的痛苦最直接，他被剝奪了創造音樂中最重要的天賦——他耳朵聽不到。

貝多芬是暴烈的，可是上天對於貝多芬所有的折磨，卻化成他奉獻給世人的歡樂。這是了不起的英雄。沒有人比他更痛苦，但是也沒有人比他為世界帶來更多更深刻的美好。

貝多芬之所以偉大，因為他不只抗拒痛苦，還從抗拒痛苦中得到力量，轉換成他的創造力。米開朗基羅剛好相反。因為他沒有能力對抗自己的痛苦，他的不抵抗以及命運對他的無情折磨，才成就了他的藝術。

用今天的精神醫學概念來看，米開朗基羅一輩子都受憂鬱症困擾。米開朗基羅太多太多的作品，都是為了要逃避、而非正面迎擊他的憂鬱。說句玩笑話，我們今天能享受米開朗基羅的藝術，要感謝他那個時代並沒有精神科醫師。如果那時有精神科醫師而他被治好了，那我們今天就看不到西斯汀禮拜堂（Sistine Chapel）上面米開朗基羅的重要作品。他因為無路可逃，所以只好讓自己一直有事做，所以創作了非常多的作品。這是羅曼．羅蘭的解讀。

托爾斯泰呢？貝多芬是被上天折磨的人，托爾斯泰卻是上天的寵兒。生為貴族的他，年紀輕輕就功成名就。光是《戰爭與和平》不知為他帶來了多少財富和名聲！不只在俄羅斯的社會裡，他在全世界都受到尊敬。可是讓他變成英雄的是——他在晚年自尋痛苦。他沒有辦法忍受自己不痛苦，所以放棄了所有的一切，變成了流浪漢，最後凍死在街上。托爾斯泰晚年的轉折，是理解十九、二十世紀文學非常重要的一個環節。二十世紀的創作者，沒有人不讀托爾斯泰，沒有人不知道托爾斯泰晚年的故事。為什麼這麼有錢的人最後會死在街上？羅曼．羅蘭的解釋是，因為痛苦才能使他昇華，讓他解脫一般凡人的身分，而變成英雄。

41

寫了貝多芬、米開朗基羅和托爾斯泰的「痛苦英雄」傳記，為羅曼．羅蘭帶來一些名聲。不過羅曼．羅蘭真正聲名大噪，還是要靠他最重要的代表作——《約翰克利斯朵夫》。

羅曼・羅蘭從一八九五年開始創作《約翰克利斯朵夫》，一直到一九一二年才寫完。《約翰克利斯朵夫》一共寫了十大冊。

羅曼・羅蘭在瑞士開筆寫這本小說，然後到英國牛津，最後去了巴黎和義大利。也就是說，這本書是在全歐洲不同地方寫的。這並不是偶然或意外。這本書的動機是：「要為所有人寫作。」羅曼・羅蘭有他的盲點，當他想到「所有人」的時候，他想的是「所有的歐洲人」。所以這本書有趣的地方在於，一個法國作者用了主角的名字作為書名，寫了一本小說，但是主角的姓，克拉夫特（Kraft），是個德國姓。雖然羅曼・羅蘭是法國人，但主人翁約翰克利斯朵夫卻是當時法國人最痛恨的德國人。

這本書由法國人寫作，寫了一個關於德國人的故事，而在故事中還有其他幾個重要的角色。一個是法國人奧里維，他是克利斯朵夫最要好的朋友。另外克利斯多夫最摯愛的人是葛拉齊亞，她是義大利人。這是一個關於法國、德國和義大利年輕人的故事，這樣的設計當然也不是偶然，這說明了羅曼・羅蘭要為全歐洲寫作的野心。

《約翰克利斯朵夫》從文類來看，可以歸為成長小說或是教育小說。我們從中看到一個年輕人如何成長成人，他在過程中必須克服的困難，以及在困難克服當中所進行的轉化。而對此描述的最好的，是褚威格（Stefan Zweig）為羅曼．羅蘭寫的傳記。這也是一則傳奇，一個法國人寫了一本虛構的德國人約翰克利斯朵夫的傳記，而倒過來在真實世界中，在戰爭剛結束時，一個用德文寫作的奧地利人，為他敵國——法國的作家羅曼．羅蘭，寫了一本傳記。

在褚威格為羅曼．羅蘭所寫的傳記中，有這麼一段話：

「只要回憶一下作品開端那聖歌般的樂段、萊因河澎湃而深沉的濤聲，我們就能感到一種來自遠古洪荒的偉力。這條生命之河不息地奔流著，從永恆流向永恆。然後一個清新可愛的旋律輕輕響起，約翰克利斯朵夫誕生了，從宇宙的偉大音樂中誕生了。現在這孩子要投入音樂永不停息、變化無窮的洪流當中。

「第一批形象登上了舞台，神祕的合唱慢慢消逝，一個童年的世俗劇開始了，空中漸漸充滿了人聲和旋律，反向進行的聲部回答著孩子膽怯遲疑的提問，直到約翰克利斯朵夫的雄強和奧里維的溫柔，像大小調一樣統領了中間樂章。生命和音樂的所有形式都擴展成和諧和不和諧音。

「那貝多芬式憂鬱的悲劇性爆發、那些關於藝術主題的巧妙賦格、那對鄉村舞蹈場景的描寫、那像舒伯特作品一般純淨地像獻給永恆與自然的頌歌，而這一切都神奇的融匯在一起。咆哮的巨量歸於平靜，舞台上的喧嘩輕輕凝聚，最後的不和諧音化為強大的和諧。伴隨著無形歌隊的合唱，大幕慢慢落下，開始的旋律再度響起，奔騰的河水回到了浩瀚的大海。」

這段文字掌握住了《約翰克利斯朵夫》這部長大小說的寫法——它的形式，最接近交響樂。褚威格以有力的文字描述，為我們整理了音樂和《約翰克利斯朵夫》在形式上的平行關係。

讀《約翰克利斯朵夫》，應該將所有你能找到的貝多芬音樂都放在身邊，一邊讀，一邊聽；一邊聽，一邊讀。

《約翰克利斯朵夫》前半有許多故事元素，取材自貝多芬的生平。包括爸爸是一個酗酒的鄉村樂手，跟爸爸去酒店時躲在鋼琴底下的小男孩，回到家裡被爸爸逼著彈鋼琴，當爸爸喝醉時就被打等等，這在《貝多芬傳》裡都出現過。可是《約翰克利斯朵夫》並不是《貝多芬傳》。他後面將許許多多的音樂家、尤其是德國音樂家的故事都編了進去。所以這是一個綜合的古典後期到浪漫樂派的大傳。

羅曼．羅蘭想寫的是一個歐洲文化的綜合體。羅曼．羅蘭想為所有的人而寫，他想寫的作品要能涵蓋歐洲文化中最美好的部分，而且他又將之寫成了少年奮鬥史。所以當你很認真地讀《約翰克利斯朵夫》時，它一定會變成你生命中的一部分。

《約翰克利斯朵夫》書中的一個概念是，人真正的奮鬥，是跟自己的奮鬥，最後你是為了要從自身中引出一個他者（foreigner）來，那才是真正的自我。這樣的概念在我們年輕的時候，對我們影響很大。也就是外在的東西都是假的，約翰克利斯朵夫一直在奮鬥掙扎的原因，就是因為他內在有一個惡魔，而很不幸地那個惡魔才是真正的他。那個在世俗中行走吃飯睡覺的他是假的。

《約翰克利斯朵夫》書中有幾句話到今天我都還記得。例如他說藝術家過的生活是一種自我實現，因為藝術家是獵物，並不是藝術家去打獵把藝術這個獵物抓到，而是藝術在打獵，「每一個藝術家都是歡愉的失敗者」。那是一種奇妙的衝突。它要把你的肉身、外在的東西吃掉，你反而才得到那個真實的自我。你如果不能擺脫這種行走吃飯睡覺的、虛偽的我，你就永遠找不到那個看似惡魔的、內在的我。當這內在的自我展現出來的時候，那就是藝術的創造力。所以英雄最大的特色在於它的創造力。

羅曼．羅蘭在寫一個少年尋找自我的過程中，同時也寫出歐洲文化許許多多的面向。他藉由約翰克利斯朵夫來寫德國文化。而在他的描述中，德國文化是一個強者的文化。約翰克利斯朵夫姓 Kraft。Kraft 在德文中就是「力量」的意思。約翰克利斯朵夫象徵的是強者的力量，而這強者是羅曼．羅蘭刻劃的德國文化核心特色，德國是充滿了強力的文化。而且強力會聚集在中心，使德國成為一個強大的國家與社會。

書中另一個主角奧里維則是法國人，羅曼．羅蘭便藉由奧里維來描寫法國的文化。例如說約翰克利斯朵夫和奧里維最大的差別在於，克利斯朵夫碰到任何的事情都暴怒、要求改變，所以他最早碰到奧里維的時候，最受不了他的不行動、不戰鬥。德國是一個戰鬥的民族，而法國是一個不戰鬥的民族。可是法國之所以不戰鬥，並不是因為它怕輸，而是因為它鄙視勝利。

在羅曼．羅蘭的刻畫中，法國文化是一個過度自由的文化，對法國人而言，自由最重要，只要我自由，我沒有必要去戰勝你來得到勝利。當勝利沒有意義的時候，他們就不會去奮鬥。但是不奮鬥並不代表法國沒有強者，而是法國的強者剛好和德國的強者相反。德國是一個強者都站到中心的社會，法國則是愈強的人愈在邊緣，因為他愈自由。當強者找到自由的時候，他便站到了這個社會的邊緣。

葛拉齊亞在義大利文中是優雅的意思。羅曼．羅蘭透過葛拉齊亞來寫義大利的文化，義大利文化在他筆下最大的特色是，這是一個過去的文化。所以當約翰克利斯朵夫到義大利的時候，他的第一個反應是，我才知道我一直在看未來、而從未審視過去。他也才了解到「過去」的特色就是——充滿了已經定局的奮鬥。已經定局的奮鬥，使人可以很優雅，因為勝負已定，也沒什麼好爭的了。義大利是一個太舒服的文化。書中描寫到，當約翰克利斯朵夫第一次站在義大利的陽光底下，感到前所未有的溫暖。義大利是一個陽光的文化、一個歷史的文化、一個勝負已定的、充滿了過往甜蜜的文化。

除了德國人、法國人、義大利人之外，羅曼．羅蘭還寫了一個猶太人。猶太人的角色在《約翰克利斯朵夫》裡，爭議性最高，也最曖昧。一方面他用了猶太人的刻板印象，比如說猶太人的軟弱、狡猾以及重重的戒律。可是另一方面小說中奧里維又提醒約翰克利斯朵夫，也許猶太人才是歐洲的希望。因為在那時奧里維和約翰克利斯朵夫都隱約地感覺到歐洲的另一場戰爭要來了。誰能阻止歐洲戰爭呢？或許只有沒有國家沒有國籍的人。作為德國人和法國人，背負著兩個國家一八七〇年的遺恨，約翰克利斯朵夫和奧里維看到了猶太人沒有國家的自由。

他們鄙視猶太人，並且發現，之所以猶太人被鄙視，是因為他們沒有國家。然而正因為沒有國家，猶太人才能超越在民族國家的牢籠中所感受到的焦慮。

43

我們必須佩服羅曼．羅蘭的遠見，他在一九一二年寫《約翰克利斯朵夫》最後部分時，全書的主題就已經移轉到一場即將撕裂歐洲的戰爭。那個戰爭隱隱然要爆發了。

戰爭一旦爆發，奧里維就不再是奧里維了——即使這時奧里維已經死了，但對於奧里維的記憶，就不再是約翰克利斯朵夫的的朋友奧里維，而變成是一個敵國的法國人。約翰克利斯朵夫也不再是充滿了歐洲幻想、全歐教育的那個人，他將被窄化為一個單純的德國人。

《約翰克利斯朵夫》之所以在歐戰之後成為那麼重要的作品，是因為沒有人可以否認羅曼．羅蘭比大家更早看到了第一次世界大戰真正的威脅以及破壞。

更深一層去看，雖然羅曼．羅蘭想要為全歐洲寫作，但是他在作品中想要將歐洲整合描述的同時，也無可避免地受到正在撕裂歐洲的民族主義影響。他最後完成的作品有很曖昧、弔詭的一面。他雖然希望所有歐洲人最後能手牽手，即使戰爭來了，德國人的手還是要跟法國人的手緊緊牽住。然而寫來寫去，有很大的篇幅寫的還是德國人的民族性、法國人的民族性和義大利人的民族性。

對民族性的研究與好奇，在第一次世界大戰之後成為全世界的風潮。可是民族性的研究，不也就是本質上地否認了一個歐洲共同的面貌嗎？羅曼．羅蘭絕對可以辯護說，歐洲的統合本來就不是建立在一致性上。可是當你用那麼大的篇幅去鋪陳，德國人就是和法國人不一樣、法國人就是和義大利人不一樣，那麼要如何防止在民族國家建立後，這些來自於不同文化、性格的界線，化身為政治與戰爭的界線？

《約翰克利斯朵夫》在一九一二年全部出版，休息了一陣子之後，羅曼・羅蘭開始寫作一本喜劇。這大概是他一輩子中唯一成功的喜劇——《布勒尼翁師傅》（*Colas Breugnon*）。《布勒尼翁師傅》在一九一四年寫完，預計一九一四年八月要出版。多麼反諷，就在一九一四年八月爆發了全歐洲最可怕的悲劇——從巴爾幹半島引爆的戰爭。

歐戰爆發之後，羅曼・羅蘭在一九一四年九月二十二日，寫了一篇重要的長文。這篇長文後來和其他文章收錄成一本影響很大的小冊子。這本小冊子名為《超越戰爭》（*Au-dessus de la mêlée*）。剛發表的時候，法國的檢察官主動調查，準備要起訴羅曼・羅蘭，因為他要求不要打仗了，我們應該要和平。法國檢察官後來放棄起訴他，但還是寫了很強烈的意見，指責他在戰爭爆發的時候發表這篇文章，是非常可恥的事情。

讓羅曼・羅蘭覺得更難過的是，在德國有一篇廣為流傳的文章，大肆批評

《約翰克利斯朵夫》。文章中說，《約翰克利斯朵夫》是羅曼・羅蘭陰謀地要用法國精神來腐化德國人、來改造德國人、來污衊德國人的作品。想想羅曼・羅蘭的感受。他一直要把歐洲拉起來、把德國和法國拉在一起，但是他這樣的努力卻在這兩個地方都被視為罪惡。

羅曼・羅蘭的補償，是一九一四年底他拿到了諾貝爾文學獎。這個獎要頒給《約翰克利斯朵夫》，要頒給他早在兩年前就預見了歐洲要發生大戰的預言。在戰爭的情況下頒給羅曼・羅蘭，當然意味著瑞典皇家學院的態度。也因為羅曼・羅蘭拿到了諾貝爾文學獎，有很長一段時間他變成了「歐洲和平的良心」，但是同時他也被法國視為叛國賊、被德國視為最可怕的陰謀者。

雖然他從來沒有被德、法諒解，但是羅曼・羅蘭作為一個和平主義者，在戰爭中沒有動搖過。他堅決反對用民族國家的方式進行戰爭。剛開始的時候他受到很大的屈辱，但是後來戰爭愈來愈荒謬，也就有愈來愈多人相信羅曼・羅蘭。他的聲望到達頂點是在戰爭結束之後。一九二〇年代是羅曼・羅蘭聲望的最高點，可是對羅曼・羅蘭來說，是一個悲哀的、他也不見得想要的榮耀。

因為歐洲已經分裂了，那個大家都認為我們同樣是歐洲人的感受，一去不復返了。

一九一二年全歐洲最重要的書，叫做《約翰克利斯朵夫》。一九一九年全歐洲最重要的書，變成了《西方的沒落》（*Der Untergang des Abendlandes*）。從《約翰克利斯朵夫》到史賓格勒（Oswald Spengler）的《西方的沒落》，前後只有幾年的時間。之前，是充滿了十九世紀式的樂觀、想要將全歐洲整合在一起的作品；之後，全歐洲每一個人都在思考史賓格勒重要的預言：文化有春夏秋冬、文化有生老病死，西方的文化已經到了秋天、已經到了老年。這中間的差距不可以道里計，歐洲再也不是羅曼·羅蘭知道的、關心的那個歐洲了。

44

日本作家大江健三郎在四國山裡長大。小時候，他在森林裡的楓樹上，為自己蓋了一座樹屋。每天，他都要爬到樹屋上去，在樹屋裡讀書。而且只讀一種書——讀不懂或讀不下去的書。

大江健三郎解釋，他有個彆扭的習慣，覺得如果翻開一本書讀了十頁卻沒有辦法把那本書讀完，會覺得很羞恥。可是，實在有些書讀不下去——像是《托爾斯泰日記》——怎麼辦？就把書帶到樹屋上，在樹屋上讀這些難讀的書。

我自己小時候，也有類似的經驗。有一段時期，每天五點半起床，家裡都還靜悄悄的，刷了牙洗了臉，坐到書桌前面讀書。讀那些讀不懂，平常讀不下去的書。反正一直到上學出門前，除了留一點時間吃早餐、裝便當外，就是不顧一切地把眼前的書讀下去。

我記得在那樣的微曦晨光中，讀了赫曼·赫塞、讀了維根斯坦、讀了數學家高斯（Johann Karl Friedrich Gauß）的生平與理論，也讀了沙特和海德格

（Martin Heidegger）的哲學作品。隨著年歲成長，有些本來讀不懂的書讀懂了，然而，總是會出現更多讀不懂的書，排隊等著運用那個奇怪的閱讀時光。

很多那個時候讀的書，一直到今天我還是不懂。然而不懂卻絕對不等於沒讀。我清楚記得閱讀每一本書過程中，帶來的困惑疑惑。在人生經驗囫圇吞棗的紀錄中，傾向於被用「不懂」兩個字一筆帶過的，其實不是那麼簡單、容易的一回事。有各式各樣不同的「不懂」，也有各式各樣不同程度的「不懂」，還有各式各樣面對「不懂」的態度與策略。

有讓人興味盎然的不懂。有激起人挑戰慾望的不懂。有只能讚嘆崇拜的不懂。有令人頹然挫折的不懂。有像清風般不容深究的不懂。有透露著「等一段時間再試試吧」訊息的不懂。還有直接打進靈魂裡幾乎承受不住的不懂。

每一個不懂，都像是小小閃耀的星光，明白標示著一個不容否認的星球存在，一個神祕但必然有火有光有質量的具體巨大物件。不管中間隔絕了多遠的距離，我們就是不可能、沒有資格假裝那另外的世界形式是假的、是空無的。

透過這些一連串的「不懂」，我感知的宇宙，遠比透過「懂」來得廣大、有趣得多。透過這些千奇百怪的「不懂」，我還認識到不一樣的自己，讓我始終相信——理解自己不懂什麼、為何不懂，跟理解自己懂什麼，同樣重要，甚至，更加重要。

45

我讀到的第一本赫曼・赫塞作品是《徬徨少年時》（*Demian*）。國中的時候，一段日子裡我每天將鬧鐘設定在五點半，叫自己起床，坐到書桌前，點亮檯燈，在白花花的燈色下，一個字一個字、一行一行讀《徬徨少年時》。

不是因為對書中內容有強烈的領悟，所以那麼認真耽讀。不是，每天早起利用上學前時間讀，正因為我讀不懂《徬徨少年時》。

那種年歲，讀不懂的書多得很。沒有人幫我們準備「推薦書單」，更沒有人給我們「指定書目」，書是自己在國際學舍書展會場裡瞎逛時碰到的。一本書要花掉半個月的零用錢，所以就算買了發現讀不懂，也不能、不會輕易放棄，必須努力硬著頭皮讀，把買書費去的錢讀回本來。

不過苦讀眾多讀不懂的書的歷程中，《徬徨少年時》不太一樣。我很清楚自己的不懂，卻深深被那一行行無法確切了解的文字吸引，一直讀下去。沒有其他書帶來的「不懂的痛苦」，反而是一種神祕、奇特的「不懂的愉悅」，我之前不曾體會也無法想像的一種樂趣。

那種樂趣的強度，甚至不亞於我當時自認最熟悉、最輕鬆的另一種閱讀——每天從同學手裡接來一本本薄薄小小的武俠小說，在課堂上夾入課本裡躲開老師注意，快速囫圇地讀下去。

讀一頁赫塞小說的時間，大概夠我一邊瞄老師在講台上的動靜，一邊翻看十頁武俠小說。可是到晚上睡覺前，我可以閉上眼睛重溫今天讀的武俠小說情節過程，卻不管怎麼努力，都無法告訴自己赫塞的書裡究竟講了些什麼。然而奇怪的是，我完全不想把清晨拿來讀赫塞的時間挪去享受武俠小說。

讀不懂的《徬徨少年時》可以讓我清晨果決地翻身起床，武俠小說反而沒有辦法。

還要再過很多年，我才明白那些天似亮未亮的清晨，自己到底在幹嘛，到底從赫塞的書裡讀進去了什麼？也進一步才明白，對我的成長，赫塞小說和武俠小說之間存在著什麼樣的關係。

高中時，我隨手從書架上取下《徬徨少年時》，一翻開就看到這樣一段：

「每個人都必須為自己找出被允許的和被禁止的事物——找出對他而言是禁止的事物。從來沒有人會因為做了一些被禁止的事，就因此成為大惡棍。反之亦然。說穿了，不過是個懶惰的問題罷了！有些人疏於思考，懶得為自己的行為把關，只求不違反別人規定的禁令就行了，因為這樣他可以過得很輕鬆。還有些人心目中自有一套法則，有些事，雖然正經體面的人天天都在做，但對他們來說卻是禁止的；另外一些事，對他們來說是允許的，卻常常為一般人所厭惡。每個人都必須獨立思考，為自己所為負責。」

我的天！我從來不記得曾經在《徬徨少年時》裡讀過這段話，然而這不就是我每天掙扎在思考的嗎？尤其是面對學校從頭髮到雙腳無所不管的規約，我不是天天都在拉鋸掙扎著，不願服從卻又必須找出自己不服從的理由嗎？而「為自己所為負責」不正是歷經拉鋸掙扎，我自豪艱苦得到的答案嗎？

原來早已經在《徬徨少年時》裡。我連忙再翻，翻到辛克萊畫了一隻雀鷹寄給德密安的那段，我完全不記得德密安會不會收到那幅畫，會怎樣反應，急急地讀下去，讀到那張神祕紙條上寫的：「鳥奮力衝破蛋殼。這顆蛋是這個世界。若想出生，就得摧毀一個世界。」

原來如此。高中的我，每天困擾自己，讓大人頭痛，衝動又衝突地做著的，原來就是這麼一回事。我試圖毀壞自己原有的世界，必須毀壞了那個世界，我才能看到外面另外一種光，才能伸伸看自己的背上是不是長了翅膀，長了什麼樣的翅膀。

原來早在那裡了，《徬徨少年時》已經告訴過我。也許應該從頭重讀一次《徬徨少年時》吧？將書頁翻回最前頭時，我的手指忍不住微微地顫抖，不曉得自己在害怕或興奮什麼，啊，書一開頭，「前言」第一句話：「我只是嘗試著過自己要的生活，為何如此艱難？」

46

赫塞藉由《徬徨少年時》的主角辛克萊說：「我只是嘗試著過自己要的生活，為何如此艱難？」

這正是令我害怕與興奮的訊息。嘗試過自己要的生活，沒有那麼容易。童稚時，我們以為父母安排好的一切，就是「自己的生活」，一直到我們預見安排以外的其他生活刺激。我們開始意識到，有不同的生活可供選擇，不是必然接受既有的方式。心中慢慢燒著選擇的慾望，愈燒愈熱，愈燒愈焦躁。不能不焦躁，因為選擇意謂著離開別人善意幫我們安排好的道路，也就意謂著毀壞那溫暖安全的蛋殼世界。

我們想要選擇，卻往往並不知道究竟該選什麼、要選什麼？其實，放棄別人安排的容易，找到自己真正要的，才困難。然而在我們有限的少年視野中，焦躁不安經常讓我們顛倒了因果，弄不清什麼是「自己要的生活」，我們無能也不敢真的去找出答案，而是返頭怪罪原來的世界拘束我們太緊、太狹隘，一定要用更無情、更粗暴的方法把它砸碎、打爛。

透過赫塞的比喻，我發現了自己在哪裡。我已經將原本的蛋殼粗暴地打破了，再也拼不回一點點舊有的樣子，卻赫然察知自己身上還沒有可以飛走的羽翼，更糟的，自己完全不曉得從蛋殼裡出來了要飛去哪裡。

對於「自己要的生活」的理解、想像，九成九是空洞、虛幻的。為什麼如此著迷於武俠小說？因為武俠小說徹頭徹尾不像現實，武俠小說描寫的那種異類世界，提供我們最強烈的刺激，對我們說著：你看你看，有人可以這麼厲害，有人可以這樣活著！以大俠的姿態活著，當然比做個苦悶無能的中學生，好上百倍千倍！

武俠小說幫助我們鄙視現實，幫助我們打破那看似堅硬，實則脆弱的蛋殼，然而武俠小說卻不可能幫助我們打造翅膀，更不可能幫助我們選擇張開翅膀後飛翔的方向與路徑。

武俠小說九成九的內容是空洞、虛幻的。不過還好，另外有不空洞、不虛幻的那麼百分之一內容。武俠小說建立在英雄氣概與朋友義氣上，這點不會是虛幻的。高中重讀後，我發現《徬徨少年時》也是建立在英雄氣概和朋友義氣的真切基礎上的。

父母、家庭、學校、師長，都是構成蛋殼的一部分，啄破蛋殼，也就無可避免拒絕、推遠了他們。這是成長最痛苦的一段經驗。辛克萊體驗過那光的世界與暗黑世界的矛盾掙扎，我們也經歷過。在最深的困惑中徘徊，還好有德密安拯救了辛克萊，德密安是個英雄，更重要的，德密安是個朋友。

在最深的困惑中徘徊，父母、家庭、學校、師長，都被和舊蛋殼一起留在身後，我們無法回頭向他們求救，於是我們依賴朋友，幸好，我們還有朋友可供依賴。

英雄是什麼？是比我們早啄破蛋殼長好羽翼的人，他們大可以悠哉地飛走，卻留在地上陪伴我們。朋友是什麼？是陪我們一起化成雀鷹，迎向另一個世界的人。

我不能不慶幸，在那懵懂卻又關鍵的年代，一邊讀《徬徨少年時》，一邊讀武俠小說。

眼中相去十萬八千里的作品，對我而言，卻同樣發散著英雄與友誼的金亮。我讓自己走進那份溫暖卻絕不刺眼的輝光中，結識了一群同樣讀赫塞又讀武俠小說的朋友，一同反抗著威權時代的種種拘執，也一同摸索著人生其他可能性，終於飛起來，每個人朝自己意欲的方向勇敢地飛。《徬徨少年時》和那眾多繁雜甚至叫不出書名的武俠小說，加在一起教會我們憑藉友誼充實取暖，再憑藉這溫暖化成的力量，忍受孤獨，持續勇敢地探索自我。

還是赫塞說的：「不願再說謊的人的生命，沒有那麼甜美、和諧，卻必然帶著胡鬧與困惑、瘋狂與夢幻。」胡鬧與困惑、瘋狂與夢幻，是真正探索過自我選擇的人必然得到的生命感受。

47

少年時期翻讀赫曼・赫塞的《鄉愁》（*Peter Camenzind*），過程極為戲劇性。

書的開頭部分有許多關於故鄉村莊與大自然的細膩描寫，卻缺乏可以引人興趣的故事情節。順著一行行的文字讀，逐漸接受了這應該是一本以辭藻取勝的長篇散文，而非提供懸疑變化閱讀樂趣的小說，因此開始猶豫遲疑要不要耐住性子繼續讀下去時，突然書裡那個叫培德·卡門沁特的主角幹了一件奇怪的事。

他愛上了一個叫蘿西的女孩，想要送花給蘿西，他原本想爬到險坡上摘幾朵薄雪花，卻嫌薄雪花不夠漂亮，於是冒著生命的危險，他鼓起勇氣去摘掛在懸崖上的阿爾卑斯玫瑰。他必須用嘴咬住剪下來的花枝，才勉強手腳並用安全從崖壁上下來。然後坐了五個小時的火車回到城裡，他把艱苦得來的阿爾卑斯玫瑰包好，走到蘿西家，趁機從開著的大門溜進去，「張望了一下傍晚微暗的走廊，把隨意包紮的花束放在寬闊的樓梯上。

「沒有人發覺，不過我也無從得知，蘿西是否收到我的問候。但是攀爬懸崖，冒著生命危險，只為把玫瑰放在她家的階梯上，儘管有些酸楚，其中的甜蜜、喜悅和詩意還是讓我愉快，至今餘韻猶存。」

少年時讀到這裡，我心中暗叫：卡門沁特，你這個笨蛋！蘿西怎麼會知道那花是要給她的？就算猜到花要給她，蘿西又怎麼知道那花是你送的？就算猜到花是你送的，她也不可能知道你為了摘這朵花所冒的險與耗費的心力啊！卡門沁特，你這個笨蛋、笨蛋！

可是這樣罵的同時，內在有某根神經被觸動了，隱隱地同意了卡門沁特的做法，感受這裡面的愛情有我過去不曾想過的更深層的道理。

愛的不必回報，愛的自足自證，還有愛情進入我們生命，因而幫助我們超越了原本的生命，完成了原本不會做原本無法完成的事，愛情創造的生命奇蹟本身是一份巨大的、無可替代的滿足，甚至勝過想要從愛情對方得到回應的要求。

很難形容那莫名的震撼。少年的我把書放下來，遲遲無法讀下去，不是因為擔心書會太枯燥無聊，相反地，擔心書裡還有更多這種衝擊震撼的內容，捨不得就這樣任意讀過去。

後來當然還是讀了，時快時慢忽快忽慢地讀。書的內容常常顯得如此熟悉，引誘人怏怏讀。少年成長生活中會遇到的同樣困惑。愛情，尤其是單戀，以及被年紀較大的女性吸引的經驗，濃烈的愛情，卻只能用笨拙的語言與行為試圖表達，在表達的過程中苦嘗一次又一次的挫折。

還有對於友誼的想像與追求。與朋友相處得到溫暖的安慰，卻也往往在和朋友相處中彆扭、受傷，觸動了自己最孤獨孤僻的陰暗性格。

還有自我的追尋，我是誰、我想做什麼、我能做什麼的困惑，乃至恐慌。追尋自我過程中，必然與大人、與大人的秩序發生衝突齟齬，嚮往大人能夠得到的尊重對待，卻又看不慣大人的庸俗與無趣。

這些經驗，《鄉愁》裡的卡門沁特和我們如此相似。

赫曼・赫塞小說《鄉愁》裡的卡門沁特一方面和我們如此相似，另一方面，

書裡卻又無可避免透露出再陌生不過的氣息氣氛，讓我每讀一段，就不得不放慢速度，苦澀地咀嚼思索。

像是他面對母親、小艾姬與好友波比三次死亡時的態度。每一次那死亡都緩緩降臨，無從逃躲，他也竟然都能不逃不躲，在生命終極的損傷中得到豐富的記憶。

又像是他和艾兒米妮雅深夜湖上泛舟中，既不浪漫卻又最浪漫的對話：

「我可否問您，這份戀情令您感到幸福？悲傷？或者二者都有？」

「啊，愛情並非為了使我們幸福，而是要讓我們知道自己的承受力有多強。」

又例如去到阿西西遇見了愛上他的寡婦，卡門沁特對於不求回報的愛情有了相反的體會：「以前總以為，不需回報的被愛是一種享受。當下，我卻明白了，面對一份無法給予回應的深情，如此令人難堪。」他的態度改變，包括重新評價自己當時徹底不求回報送給蘿西的那朵阿爾卑斯玫瑰嗎？

我這樣一邊閱讀，一邊油然生出了淡淡卻堅持的決心，我一定要弄清楚，赫曼・赫塞筆下的卡門沁特，他的生命和我自己，我周遭其他少年的生命，究竟差異何在？

花了二、三十年的時光，我才逐漸摸索出方向，找到了一些答案，或者該說，通向答案的線索。

卡門沁特比我們幸運，在多重情境的環境裡成長。他和大自然間如此親切，他有著全幅完整的田園視野，更重要的，他不斷和其他生命的精采典故相遇。他和李亞特前往義大利浪遊，追索十五世紀文藝復興初期的藝術與人文感受。他研究中世紀的聖方濟，到阿西西體會聖方濟的貧窮，與貧窮中生出的最大慷慨與無邊愛心善行。他廣泛閱讀不同時代不同文明的書籍。

雖然這本書的德文原名就叫《培德・卡門沁特》，雖然這本書從頭到尾籠罩在培德・卡門沁特個人的心思與敘述中，但這表面的單聲道中包藏的，其實是多重生命意義的交疊交雜。透過其他生命，愛情對象、朋友以及古往今來文明累積，卡門沁特得以在有限個體經驗中，開發近乎無限的喜怒哀樂感受能力。是的，他和我們有著相近類似的喜怒哀樂，但他的喜怒哀樂，加倍強大、加倍寬廣，因而在如此寬廣幅度中訓練出來的生命，就能夠飛到我們上不了的高度，潛到我們下不了的深度。

除非，我們願意動用自己生命中的一切能量，以敏銳的想像緊緊閱讀，不甘心地跟隨培德．卡門沁特上山下海，讓他的生命高度深度，變成我們生命的高度深度，或至少是，我們生命高度深度的量尺。

49

有一個英文字「Nostalgia」，是懷舊的意思。它由兩個希臘字「Nostos」跟「Algia」組成。「Algia」，指的是「痛苦」或「為了什麼事而痛苦」。而「Nostos」則是「歸返」、「回去」的意思。這個字從字根來講，就是「因為返回而產生了痛苦」。它在希臘文以及今天的英文裡，都有雙重的意思——「因為想要回去所以痛苦」、同時也是「因為回不去了而痛苦」。所以「Nostalgia」

同時也指「不能回去的地方」或是「不能回去的時間」。在希臘文裡 Nostalgia 最重要的故事，就是荷馬（Homer）的史詩《奧德賽》（*The Odyssey*）。在《奧德賽》裡尤里西斯（Ulysses）要回到潘妮洛普（Penélopê）身邊，那就是巨大的 Nostalgia。

希臘文裡的 Nostalgia，有空間上的意義。可是隨著文化的改變，現在我們用這個字，都指時間，也就是有一個時間我們回不去了，因此我們懷舊。然而 Nostalgia 有一個很特殊的地方，在於你對待你想要回去的那個時間點，是曖昧的。一方面你很想回去，一方面你卻知道你不能回去、甚至不應該回去。正因為你不該回去、卻又很想回去，所以會美化那個無法返回的時代。

我有一個嚴重的懷舊情結，我會不斷懷念我們對於西方知識還處在「格義」階段的時代。所謂的「格義」，就是當佛教剛進來的時候，要翻譯佛經非常困難，因為是完全不一樣的思想觀念，所以當時有一個「格義」時期，想盡辦法拿原有的語詞，去拼湊、去敷衍新的東西。當新的、陌生的東西，被冠了一個熟悉的名字之後，就產生了特別的感覺。

我要說的不是佛經的格義時代。我所懷念的是，有一個時期我們對西方很不了解，所以對於西方的東西會選擇用很中文的方式來表達。這種時代帶著特別的趣味。最明顯的例子是好萊塢電影的片名翻譯。現在的年輕人大概很難想像我們所看過的電影，像是《蓬門今始為君開》（*The Quiet Man*）。這麼棒的電影、這麼棒的電影名稱，你沒看過吧！但是這其中最大的痛苦就是，我們後來跟別人談起來，完全不知道這部片的原名究竟是什麼。我到美國去，我對好萊塢老片，比許多美國同學都熟悉，可是我不敢跟他們聊天，因為我沒辦法用英文講出電影片名。

那個時代不應該回來，可是我對它有一種懷念。那個時代用那種方式所理解的西方，也許不是真實的西方，可是它會刺激出特殊的情感。赫曼．赫塞曾經在台灣大流行過，他有很多作品在台灣都有翻譯。其中四本書最受歡迎，分別是《*Peter Camenzind*》（一九〇四）、《*Knulp*》（一九一五）、《*Demian*》（一九一九）、《*Siddhartha*》（一九二二）。這四本書在台灣曾風行一時，但你們知道它們的中文書名嗎？第一本叫作《鄉愁》，第二本叫《漂泊的靈魂》，第三本是《徬徨少年時》，第四本是《流浪者之歌》。

這四本書的中文跟原文書名一點關係都沒有。原文通通是人名。這是因為赫曼・赫塞小說的第一個特色就是，他承襲了德國成長小說的傳統，習慣寫的是人物，而不是事件。因此他的長篇小說都以人名作為書名，講這個人成長的過程。

但是到了中文世界裡，就不是這麼回事了。我們當年看到這種書名，引發了想像，很多人之所以讀這些書，是因為被書名吸引。志文出版這些書的一九六〇、七〇年代，讀書的人很多是少年，怎麼可能沒有「徬徨少年時」呢？那時候會讀這種書的人所感受到的赫曼・赫塞，是可以讓你不要定著在一個點上面，人要漂泊，便有了「漂泊的靈魂」。

還有呢，有一本小說叫做《流浪者之歌》是赫塞寫的。另外有一首很重要的小提琴樂曲，薩拉沙泰（Pablo de Sarasate）的〈Zigeunerweisen〉，〈Zigeunerweisen〉和《*Siddhartha*》在中文裡都叫「流浪者之歌」，大家千萬不要搞混了。還有一個人既讀赫曼・赫塞的小說，又聽薩拉沙泰的音樂，就把這個名字拿來當作他舞作的名字。所以我們今天腦子裡還會有林懷民的舞作，也叫《流浪者之歌》。雖然 Zigeunerweisen 在德文裡指的是吉普賽人，所以比較接近「流浪者之歌」的意思，但其實若翻成「漂泊的靈魂」，也未嘗不可。

50

赫曼．赫塞之所以吸引我們，一部分來自於他作品裡表現的東方情愫。比方說「Siddhartha」（悉達多），是釋迦牟尼出家之前的本名。那完全是一個東方的、從印度教到佛教的故事。他另外還有三本重要的作品，在台灣很早就有翻譯本。可是這三本書在台灣受到重視的程度，遠不及之前提到的那四本。一本是他早期的作品，叫作《車輪下》（*Unterm Rad*），另一本是他晚期重要的中篇小說《東方之旅》（*Die Morgenlandfahrt*）。還有一本是他的壓軸之作，六十六歲才出版的《玻璃珠遊戲》（*Das Glasperlenspiel*）。這三本書的中文標題，如實地照德文翻譯。結果反而很多人不曉得這三本是赫曼・赫塞的作品。

《東方之旅》是我們理解赫曼・赫塞後期作品的重要關鍵。為什麼是重要關鍵？我們可以看看《玻璃珠遊戲》德文本的扉頁，上頭有一段獻辭，獻給「到東方朝聖的人」。為什麼要寫給到東方朝聖的人呢？這「到東方朝聖的人」是誰？我們要回到他前一部作品《東方之旅》才能夠理解。

因為赫曼・赫塞作品裡濃厚的東方色彩，吸引了東方讀者。雖然赫曼・赫塞一九四六年得到諾貝爾文學獎、他最後一本重要作品《玻璃珠遊戲》在一九四三年出版，然而他的東方色彩卻要遲至他一九六二年過世之後，藉六〇年代中後期的學生運動、以及其所發展出來的嬉皮反西方文明的運動，才在德語世界以外地區，尤其是美國流行起來。想想看，這不是很有意思嗎？我們對於赫曼・赫塞的迷戀，有一部分是來自他的東方色彩，可是這個東方又是轉手自嬉皮們所喜歡的東方，再從美國轉回來的。台灣在閱讀赫曼・赫塞時，對於二十世紀東西方的交錯，包括東方作為西方想像的一個來源，以及西方作為東方文學真理的源頭，這中間的辯證關係具有高度啟發。

赫曼・赫塞一八七七年在德國出生，在一個傳道士的家庭中長大。他的外祖父是德國新教到印度傳教重要大將，在印度前後待了十幾年。他父親則是外祖父的學生，後來就娶了老師的女兒。那是一個純粹的神學家庭，父母兩邊都是虔誠的傳道士。又因為他們在印度傳過教，所以他們對東方有一定程度的理解。

十九世紀時，印度是英國的殖民地。英國帶給印度一個統一的語言，也就是英語。可是在十九世紀，英語畢竟沒有變成印度人的日常生活語言。英語是一個律師的語言、官員的語言、殖民者的語言，是少數知識分子的語言。這些人把印度統一起來，可是底層的人仍然講著各式各樣的話。英國人來之前，印度為什麼無法統合，就是因為它的語言極度複雜。

赫曼・赫塞的外祖父是個傳奇，他在印度至少學習了二十種語言。還編過印度一種語言「Tassin」的字典，一直到今天，這部字典還是說「Tassin 語」的人日常生活中會用到的字典。赫曼・赫塞也因此從小就對東方、對印度，有一定的接觸與理解。

他的父親娶了母親之後，跟著外祖父回到德國，從事的都還是跟傳教有關的工作。赫曼．赫塞是家中第二個兒子，也被期待繼續走傳教的路。但是赫曼．赫塞是個早熟且神經質的少年，所以對於神學的教育很不能適應。他最早顯現出來的是自閉，到後來就產生了被迫害妄想的精神異狀。

我們幾乎可以確定他很小的時候，精神是有問題的。他十三歲的時候，就曾帶著一把不知從哪裡來的左輪手槍，失蹤在森林裡一整個晚上。還好他回來了，要不然就不會有後來的文學家赫曼．赫塞。特殊的性格與家庭背景，留下了幾項深遠的影響。第一是，他在十四歲的時候終止了正式的學業。

第二，因為他的精神狀態不穩定，使他成為家中麻煩分子，也因此對於家庭與學校的限制，他有比別人深的體認與痛苦。在這個過程中，他跟父親的關係，相當緊張。赫曼．赫塞一生中寫了許多作品，然而已經出版的作品中，很少寫到跟父親有關的事情。

在他的每一部小說裡，「爸爸」都很遙遠。這可能跟他真實生活中與父親的衝突是有關係的。所以他很清楚了解，作為一個不符合大人期望的小孩，在成長過程中會碰到一些什麼樣的事情。這是他後來將近四十歲時寫《徬徨少年時》，支撐他的最大力量。這也是這本書為什麼會風靡全世界同樣活在掙扎中的青少年的原因。

第三項影響是，文學成為他重要的逃避，或更廣泛一點來說，對美學的追求，讓他一個如此神經質的少年，得以在那樣的環境裡存活下來。最早期赫曼．赫塞寫的是詩。當時他的詩絕大部分是韻文，而且他最早寫跟小說有關的作品，都是「韻文劇」，就是押韻的劇本。他少年時代的作品，特色是極度纖美，服膺十九世紀式的浪漫主義。所以他一開始寫作時，是一個標準的、早熟的浪漫主義詩人。這在他的小說裡，多多少少都遺留了下來。

比方說他早期寫的小說《鄉愁》，還有一部分是韻文，一直到第六版，他自己修改的時候才全部拿掉。另外，他的文字非常細膩。聲音、視覺、所有感官感受，還有感官領受不到的邊緣地帶，是他最喜歡描述的。追隨浪漫主義的精神，赫曼．赫塞早期的作品對於大自然有長篇的歌頌。

浪漫主義的精神之一，是強調人和所有其他萬物之間，不應該有界線。如何讓人透過感官、美以及美學精神，跟所有其他萬物融合為一，是浪漫主義重要的課題。所以赫曼．赫塞剛開始寫小說的時候，作品中最大的障礙是，主角動不動就要跑到大自然裡去，而一跑到大自然裡，他就會有長篇關於大自然的描述，很多時候讓他的讀者無法忍耐。

已經成了知名作家，也就是寫完了《車輪下》之後，赫塞隱居到德國的鄉間去，寫了一批作品，風格幾乎回到浪漫主義那種對自然的描述。這也是他最少被翻譯的一批作品，有些甚至連英文譯本都沒有。我們可以看出來，浪漫主義遺緒對他的小說藝術構成的負擔。

還有第四項影響。浪漫主義使得赫曼．赫塞早期喜歡寫一些發生在遠方與過去、無法查考的事物。他寫過一系列義大利文藝復興時代的故事，遙遠的義大利，遙遠的文藝復興時代，充滿了不可理解的熱情與神祕。

51

赫曼・赫塞沒有正式學歷又不想傳教，經過一番家庭搏鬥之後，家人終於同意他不用傳教。但他該如何維持自己的生活？赫曼・赫塞做過大家可以想見的，寫作者自然會選擇的工作——他做過書店的店員，而且時間還蠻長的。他另外一項經驗，就不是一般作家會有的了——他曾當過「鐘樓大鐘」（tower clock）的學徒。

什麼是「鐘樓大鐘」？十九世紀末期、二十世紀初期，每一座城市的每一座教堂都陸續將原來人工敲的古鐘，變成巨大的機械鐘，時間一到就會自動叮噹噹響起來。製造鐘樓大鐘在那個時代是非常重要的工業，而赫曼・赫塞曾受過長久而正統的機械訓練。所以他對於機械有清楚的認識。這個經驗影響了他作為一個浪漫主義者的美學態度。也就是說，在擔任學徒之前，他的美學是極其纖細與耽溺的。擔任學徒的生涯，則讓他認識到另一種美，機械之美。這對他的個性多少有所平衡。

二十七歲的時候，一九〇四年，赫曼・赫塞寫了第一本小說《鄉愁》，讓他嘗到了成功的滋味，也讓他知道自己適合寫小說。

《鄉愁》是一部典型的成長小說。德文的成長小說，從歌德《威廉師父》（*Wilhelm Meisters Lehrjahre*）以降，一般來說，有幾個約定俗成的特色：小說中應該要有一個老師，也應該要有一個周遭環境如何去影響他的過程。《鄉愁》跟其他成長小說最大的不同，在於幾乎完全是一個少年的內心獨白。其他的成長小說描述外在的環境如何改變了這個人，讓他從兒童成長、經歷了少年時期，變成一個成人，外在環境則是促成這改變的必要因素。可是在《鄉愁》中，外在的因素很少，所有的成長都表現在一個人內心的、自省的、不斷喃喃自語的紀錄與追尋。成長小說的「內」「外」，在《鄉愁》中被顛倒過來了。

《鄉愁》在當時很成功，很暢銷，赫曼・赫塞接下來又寫第二本小說《車輪下》。《車輪下》跟《鄉愁》不一樣了，小說回到了成長小說傳統，注重對外在環境的描述。不過對於外在環境的描述，從頭到尾用的都是斥責的口吻。《車輪下》寫的是僵化的教育和環境，如何扼殺了一個天才，讓這個天才最後成了行尸走肉。

《車輪下》其實遠比《徬徨少年時》容易讀，而且這本書在描述父母、家庭的壓迫與學校的不知變通上，應該可以引起當年台灣成長中的小孩更高度的同感、更有共鳴。很不幸的，它的書名《車輪下》不夠迷人，我真想把「徬徨少年時」的書名搬過來，那這本書就會很紅、會有很多人看到。就可能會有很多人想要打倒老師、打倒僵化的家庭制度、想要革命，在台灣社會產生不一樣的效果。

在寫《鄉愁》和《車輪下》之間，一九〇五年，赫曼．赫塞生命中有了另一項重大變化——他結婚了。這麼纖細的一個人，他的婚姻和別人很不一樣，他娶了比他年長九歲的女子瑪麗亞。兩個人之所以在一起，後來證明，因為兩人的精神狀態都有一點問題。他們結婚以後，就搬到偏僻的鄉間小鎮去，在那裡生了兩個小孩。但大概從第二個小孩出生開始，赫曼．赫塞就受不了那種枯燥無聊的鄉間生活。他開始逃。以各種方式逃到外面去，譬如說每天去爬山，可能到下午四點才回來。又譬如說他每年都會安排非常長的旅行，最長一次的旅行是一九一二年時，跑到印度去，展開長達八個月的旅行。

這對於瑪麗亞當然很不公平，也給她帶來很大的壓力。想想看，如果妳有一個老公，每天一看到妳就恨不得自己趕快消失，那是一種什麼樣的生活？他們的婚姻狀態實在太緊張了，一九一二年赫曼・赫塞從印度回來，他們就決定離開居住的鄉間，搬到瑞士去。他們選擇了比較都會的伯恩，想要用這種方式來挽救婚姻。他們搬到瑞士沒多久，二十世紀歐洲最重大的事件——「歐戰」就爆發了。

「歐戰」對赫曼・赫塞也是很大的折磨。他是一個耽美的少年，而世界卻突然在他眼前陷入了從美學的角度來看，最不可忍受的混亂醜惡情況。所以他很快地就加入一位文學前輩所帶領的歐洲和平運動。這位文學前輩就是羅曼・羅蘭。一九一五年羅曼・羅蘭特別到瑞士去跟赫曼・赫塞會面，這對赫曼・赫塞在歐洲的名聲有很大的幫助。他一方面投身在反戰工作裡，一方面由於德國與瑞士交戰，在瑞士有很多德國的戰俘，所以赫曼・赫塞還幫德國戰俘編讀物給他們讀。

52

第一次世界大戰結束之後，赫曼．赫塞出版了重要代表作《徬徨少年時》。一九一九年《徬徨少年時》剛出版的時候，上面作者名字不是赫曼．赫塞，而是「Emil Sinclair」，就是《徬徨少年時》的主角辛克萊。

為什麼會掛這個名字呢？因為這本書一開頭是這樣寫的：「小說家們有一個傾向，他們都是以一種像神一樣的態度，去處理他們小說的主題。自以為對整個故事、對一個人的人生已經徹底了解了，因此就覺得像是上帝自己一樣來細數一切，認為在他們與顯然的事實中間，沒有隔閡的東西存在著，認為整個故事中的每一個細節全都富有意義。我不像那類小說家那樣，我做不到那樣。即使我的故事對我的重要性，超過小說家的故事對他的重要性，我還是做不到那樣。」

從這個前言就可以知道為什麼作者的名字要掛上辛克萊，因為這段話否定了小說家。如果這還是一個小說家寫的、關於辛克萊的小說，那麼這段話豈不諷刺？所以要假裝成是辛克萊自己出來講自己的事，中間沒有經過小說家的改造。

這裡透顯出一項文學史的重要意義。作者這個角色在十九世紀之前，是敘述者，是作品的總管，也是作品真正的擁有者。可是到了十九世紀末期，人們開始懷疑：作者憑什麼壟斷敘述？作者憑什麼像上帝一樣，可以告訴我們那麼多事情？《徬徨少年時》的出現，也算是這個潮流中一個重要的波濤。

這個潮流大概從一八六〇年開始，西方文學裡不僅出現了敘述者「我」（I-narrator），敘述者「我」的地位也日漸鞏固。敘述者和小說的主角是同一個人，也就是小說的視野開始縮小。以前的全知觀點是敘述者知道所有的事情，什麼都知道、什麼都告訴我們。可是從一八六〇年代開始有一個很強烈的運動，人們理解到一般人不是這樣在接觸世界。一般人接觸這個世界，是用「我」為開端，也就是以「我」為限制。因此以「我」作為敘述者的作品，也就愈來愈多。

赫曼．赫塞在《徬徨少年時》裡，把這個態度表達得很清楚。他不要小說家來干預我們，我們不需要這樣的上帝，每個人應該來講自己的故事。他擺了很明確的姿態，表示這是真實的故事。所以將作者直接叫作辛克萊。兩年之後，大家知道了作者不是辛克萊，而是寫《鄉愁》的赫曼・赫塞，但這本書也沒有受到影響，仍然吸引了更多的人來讀。

《徬徨少年時》基本上是一部反小說的小說。就如前言所說的，我們一般認為小說裡寫的每一個細節都是有意義的。然而如果我要寫自己的故事，真實發生過的，那麼哪些事有多少意義，或是有沒有意義，我自己怎麼有辦法判斷？我必須巨細靡遺地把它記錄下來，讓我自己判斷，同時也讓你們去判斷。

說老實話，我之所以對《徬徨少年時》感到懷舊，是因為這本書的書名實在翻譯得很好，它從頭到尾就是在處理辛克萊種種的徬徨。只是他的徬徨比起台灣六〇年代少年的徬徨，還多了一些。

辛克萊有什麼樣的徬徨呢？第一是家庭，自我和家庭之間的關係應該如何處理？第二是學校，尤其是學校的道德與規範，與青少年期正在萌生的慾望之間，應該怎麼處理？我很清楚知道我有慾望，但是學校告訴我說，做個好小孩，我應該壓抑我的慾望。

書中有一段寫到了辛克萊自暴自棄、去喝酒、墮落，讓所有的同學都離他遠遠的。這裡又出現了另外一個少年徬徨的主題——孤獨。覺得身邊所有的一切都在與你作對，沒有一個人是你可以信任、沒有一個人是你的朋友、沒有一個人是你的安慰。

書裡面還有讓辛克萊掙扎的愛情，這愛情的對象很有意思，事後我們發現原來是德密安的媽媽。我們可以從書中這個段落理解，為什麼赫曼·赫塞會娶一個比他大九歲的女人作他的第一任太太。那麼愛情要如何處理？愛情和慾望間的關聯又是什麼？《徬徨少年時》的這些徬徨，我們在台灣讀書的少年們也都有，不過，辛克萊比六〇年代的台灣少年還多了一項衝突——宗教。

赫曼·赫塞曾有一段時間對尼采非常著迷，他對尼采又愛又恨。他討厭尼采的超人哲學，曾經用化名寫過《查拉圖斯特拉再來時》（*Zarathustras Wiederkehr*），這本書就是要把赫塞討厭的尼采的部分拿掉，也就是超人哲學裡霸道地宣告上帝已死的、反基督的那個部分。

可是尼采有另外一部分，去理解什麼叫做超越、什麼叫做美的部分，也就是酒神精神與阿波羅精神所刺激出來的、超越於人之上的超人精神。不是意志上的超人，而是美學上的超人，這部分卻是赫曼・赫塞所嚮往的。

對尼采思想的著迷，讓出身於傳教世家的赫曼・赫塞，激烈地反抗家庭。尼采對於基督教最大的指控，就是基督教給了人一種「弱者的道德」，害了所有的人。比方說它讓人無法面對死亡，因為要嘛上天堂、要嘛下地獄，死亡不再是終結，你可以有「第二章」。但是尼采說，當你覺得你有「第二章」的時候，就是在逃避，就沒有辦法去面對人生中最了不起的一件事情。可是尼采還是留下了一個大問題，沒有了基督哲學，那個人的道德要如何建立？

這些東西都同樣地困擾著赫曼・赫塞，所以《徬徨少年時》的辛克萊就一直不斷地在這些事情裡徬徨。但是還好這個小說不止有徬徨而已。小說的書名叫做「Demian」，德密安是誰？他是一個年紀比辛克萊大的好朋友。德密安象徵了辛克萊一直想要、卻得不到的答案。德密安最早讓他知道，什麼叫做意志——我怎麼去操控別人？我有沒有辦法去操控別人？德密安給了他強大的力量，去超越辛克萊以為永遠無法超越的東西。所以他隨著德密安而得到了很多智慧。書中比較有意思的是兩人與其他朋友們之間的討論，是那些不斷的討論以及討論的敘述，讓這部小說顯得生動而有趣。

這部小說的一項特色，對我們理解赫曼．赫塞的作品很有幫助。個性迥異的主角與朋友的組合，是赫曼．赫塞最喜歡的小說主題。裡面的主角通常就是現實當中的赫曼．赫塞，然後他會去設計出另外一個、比主角活潑外向的角色。那個角色就是赫曼．赫塞想要變成的、理想的「我」，或者是，一個他認為不得不放棄的理想對象。赫曼．赫塞對於人生的許多看法，我們都可以在小說中主角與這個角色之間的關係，看得最清楚。

53

一九一九年的《徬徨少年時》叫好又叫座。三年後赫曼赫賽又出了一本叫好又叫座的書《流浪者之歌》。

《流浪者之歌》是一本怪書，用德文寫一個古印度的故事。《流浪者之歌》原文書名是「*Siddhartha*」，悉達多是釋迦牟尼在當王子時候的名字，他在菩提樹下悟道後，才成為釋迦牟尼。《流浪者之歌》描寫悉達多出家得道的過程，大部分根據佛經裡的記載，包括：他是一個有錢王國的王子，作為印度社會最高層的婆羅門，看了許多生老病死，覺得不可解釋。小說剛開始，悉達多王子在思考人生的問題，百思不得其解。有一天一位印度教的沙門苦行僧，經過他家，悉達多就去跟爸爸告別，決定要跟著苦行僧走、去尋求智慧。他爸爸很生氣，不讓他去，但是後來沒有辦法改變他的心意，只好讓他走了。

和悉達多一起離家的，有一個好朋友叫做高聞達，兩個人跟著沙門過了三年的苦行生活，然而悉達多卻對苦行生活愈來愈難以忍受。不是他怕苦，而是因為他覺得這樣的苦行沒有真正的目標、沒有真正的體悟。

在書中，他對他的朋友高聞達說：「什麼是沉思冥想？什麼是軀體捨棄？什麼是持戒奉齋？什麼是平靜呼吸？那是從自我當中一種短暫的飛離，從生命的苦痛中一種臨時的逃避。那是對於生命痛苦的緩和、對於生命餘刑的減輕。」

他認為苦行其實是逃避。只是在利用苦行的種種技巧，暫時忘掉人生中的真實痛苦，這樣跟喝醉酒、睡一場大覺來忘記人生的痛苦，又有什麼差別呢？這是一個重要的概念。

悉達多還提到另一個重要概念，其實是西方現代式的，不可能是西元前六世紀印度式的概念——「那是從自我當中一種短暫的飛離」。自我的這個概念非常重要。因為《徬徨少年時》要解答的問題，就是：「自我到底是什麼？」悉達多問，我們有走在正道上嗎？我們有獲得知識嗎？我們有接近解脫了嗎？我們原本要逃避輪迴，但我卻感覺我們在繞著輪迴的圈圈走。

高聞達於是建議尋求不同方法。這裡便出現《流浪者之歌》裡最重要的設計——他們聽說有一個得道解脫的人，叫做世尊，也就是釋迦牟尼。赫曼．赫塞把原來同樣的一個人、原來真實的歷史角色一分為二，悉達多仍是悉達多，但悉達多聽到有一個已經得道的釋迦牟尼，所以他就和高聞達一起去聽世尊說法。

那時有許多弟子都繞在世尊身邊。高聞達聽了世尊的開釋之後，馬上被啟悟了，他了解到生命是怎麼一回事，他認定世尊就是他要跟隨的師父。悉達多也聽了世尊的說法，他知道世尊的說法是有道理的，他見到世尊的時候，兩個人之間有了一段很精采的對話。

悉達多說：「世尊，我聽你所言我都能夠了解。你把世界上的事情解釋得如此透徹，每一件事的因果環環相扣，所以才造成這整個世界。但是我覺得這裡面有一個洞，那就是世尊你自己。」依照因果相扣的連環，世界是一個大的幻象。為什麼我們得不到正道，就是因為我們看不懂這些東西，而這些不就是因果結構的根本嗎？但怎麼會跑出世尊這個人呢？世尊把因果解釋得這麼清楚，讓我們都能理解，但是世尊又是怎麼來的呢？世尊並不在這因果鏈上，世尊是無因之果啊。

世尊的回答也很有意思。他說，「你很聰明，你聽懂了我的知識，而且你還能找到它的漏洞。可是重要的不在於知識，而在於解脫。我要教你的是解脫，我可以是一個無因之果，可是你為什麼要我也在這個因果鏈上呢？我是一個無因之果，卻使你得到解脫，你不就解脫了嗎？」

高聞達所選擇的路是跟隨世尊就能得到解脫，但悉達多沒有辦法接受的這一條路。所以他明明見到世尊，也被世尊說服了。但是他還是選擇離開世尊、繼續到別的地方去。

54

赫曼・赫塞的《流浪者之歌》如此描述悉達多離開世尊之後的景況。

「在路上，悉達多每走一步都會學到一些新的東西。因為世界在他眼中改變了，他也被這個世界迷住了。他看到太陽在森林與山巒上升起，在遙遠的棕櫚樹河岸落下。夜間，他看見長空的繁星，鐮刀形的新月，一葉小舟似的在晨嵐中浮盪。他看到樹木、星辰、野獸、浮雲、虹霓、岩石、野草、雜花、溪流、河川、清晨叢樹上露珠的閃爍、遠方峻嶺的黯淡與蒼藍、鳥兒歌唱、蜂兒嗡吟、風兒輕輕拂過稻田。這一切五光十色、千變萬化，一向是那樣地存在。日月一向照耀、江河一向奔流、蜜蜂一向嗡吟，但在以往的時日裡，這一切對於悉達多竟是一無所在、從未存在，只不過是他眼前的那一層剎那即逝的幻象薄紗。他懷疑地、詛咒地忽視了這一切，從他的意念的意念中排拒了這一切，因為那不是實體，因為實體只是在可見事物的另外一邊。」

這是他結束了沙門苦行、聽過了世尊教誨、離開了世尊之後所見到的世界。換句話說，在沙門苦行或是追求解脫的時候，因為你要求那個藏在萬象背後的實體，你就忽略了萬象。而他現在等於是棄絕了實體，他便看到了萬物。他看到了萬物也就意味著他感官的復甦。所有這些在追求解脫中被壓抑的感官都回來了。

這一段很美，會讓我們以為，那人生的快樂不就是如此而已嗎？但是有一件事情馬上隨之而來：感官的復甦、對萬象的感受，會激起一種東西，這也就是為什麼在追求解脫的過程中要擺脫萬象，因為它就激起了慾望。接下來那個晚上他睡在一個渡船夫的茅屋裡，做了一個非常奇怪的夢。

他夢見高聞達站在他的面前，穿著苦行者的黃袍，神情哀傷地問他說，你為什麼離開了我。他隨即上前摟了高聞達，擁在胸前親吻時，甜甜地，但那竟不是高聞達，而是一個女人，袒露出豐滿的乳房，躺在她胸脯上吮飲。那乳頭射出的奶汁強而有力，那乳汁有男人和女人的味道，有太陽和森林的味道，有野獸和花卉的味道，有每一種果實的味道，有每一個歡樂的味道。那境界，如醉如痴的境界，那境界，興奮若狂的境界。

這是慾望甦醒的描述。跟隨著感官回來的就是慾望，慾望一旦開始奔流，就一直流下去。接下來，悉達多進到城裡，找了一個最有錢、最美麗的妓女渴慕樂。外表看來仍是苦行僧的他來到渴慕樂家裡，渴慕樂問他：「你來到這裡幹嘛？你有什麼東西？我為什麼要接納你？」他回答說：「我有三樣法寶，使得沒有人可以阻擋我——我懂得等待、齋戒和思想。」渴慕樂聽了質疑道：「等待、齋戒、思想？這有什麼力量？這有什麼好處？」他說：「一旦接納我，妳就知道了。」

渴慕樂被他這種特殊的自信所吸引，便接納了他，他在渴慕樂的家裡住下。但他也不願依賴渴慕樂，渴慕樂就將他介紹給一個大商人。悉達多屬婆羅門階級，識字、很會說話，他很快就幫商人賺了很多錢。苦行的人，棄絕了對苦行的追求之後，進入了世俗社會，得到了女人、慾望的滿足、金錢以及一切的享受。

就這樣過了一段時日，有一天，他又做了一個夢。夢見渴慕樂養了一隻鳴禽在精緻的小籠子裡。那隻小鳥總是在清晨輕聲地鳴唱，有一天早上他突然聽不到小鳥的歌聲，很驚訝走到鳥籠旁，發現那隻鳥死了，僵硬地躺在那裡。他把鳥從籠子裡拿出來，放在手心裡一會兒，然後將牠丟到路上。就在同一個時間，他遽然恐懼、覺得心痛，好像把他生命中最美好、最有價值的一切，連同那隻小鳥，一起拋擲到路上了。

悉達多從夢中醒來後，莫大的悲哀感覺淹沒了他。他似乎覺得自己已經在一種毫無價值、毫無意義的方式當中消磨了他的生命。什麼東西也沒有保留下來，在任何方面都沒有可珍惜、有價值的東西。他孤寂地站著，像一個海難者站在海岸上。所以他就離開了渴慕樂，離開了那個城，走了出去。

他一直走一直走，走到太累就睡了一覺。一覺醒來之後，剛好有一個僧侶走過他的身邊，竟然就是高聞達。他認出這位幼年的朋友，高聞達倒是沒有認出悉達多。兩人有了一段對話。高聞達得道了，仍然隨著世尊的道理在修行，而悉達多卻走了一段世俗墮落的道路。兩人短暫相會之後，悉達多繼續往前走，走到了他上次做夢的渡船頭，遇到了擺渡者。擺渡者收容了悉達多，並教他如何聽河水的聲音。於是他就跟著擺渡者每天擺渡、聽河水的聲音。

一天，一個女人帶著一個小孩，要來坐渡船。悉達多一看，認出那女人是渴慕樂，那小孩呢？是悉達多離開後渴慕樂生下的，悉達多的兒子。渴慕樂在要上渡船時，被毒蛇咬了，不久後死在擺渡人的小屋裡，留下了小悉達多。

悉達多努力想把兒子養大。可是兒子在都市裡生長，完全不能忍受兩個擺渡老人家的管教。悉達多一直耐心地、不斷地試圖教導小孩，然而擺渡的朋友卻一再告訴他，這樣做不一定是對的。悉達多不管，仍然用同樣的方式耐心地對待他的兒子。儘管如此，有一天小悉達多還是跑走了，悉達多失去了小孩之後，回到渡船頭。他心裡面痛了很久，但是必須接受，他的兒子不是他，不會照著他的方式來生活。接下來，他的擺渡朋友也過世了。

故事最後，他又再一次遇見到高聞達。這次高聞達還是沒有認出悉達多，因為悉達多已經徹頭徹尾成了一個擺渡人。他從聽河水、從自己的經歷，想到了非常多的東西。

他說：「一個人可以愛上種種東西，但一個人不會愛上語言。對我而言，種種教義統統沒有用處，它們沒有堅實感、沒有柔軟性、沒有色彩、沒有稜角、嗅不出氣味、嚐不出味道，他們除了文字以外，什麼都沒有。」

他又說：「我不願否認我所說的愛，跟世尊所宣揚的教義有著顯然的牴觸。那正好就是我為什麼會那麼不信任語言文字的理由，因為我懂得這種牴觸是一種幻滅。我知道我跟世尊的意見完全一致。」

兩人相談一陣子之後，又各自離開走自己的路。小說結束了。

為什麼悉達多本來和釋迦牟尼是同一個人，但是在小說裡悉達多卻沒有接受釋迦牟尼的教誨與教訓？因為釋迦牟尼能給他的只有知識。他一定要和釋迦牟尼一樣重新去經歷那一切，得到的領悟才是真實的。知識只能給你一種理解，這種理解和經驗的領悟，永遠不一樣。換句話說，經驗超越知識，知識無法取代經驗。高聞達所走的，是知識的路，但是悉達多他堅持要去經驗。

55

一九三三年，赫曼．赫塞出版了《東方之旅》。《東方之旅》講了一個非寫實的故事，大概也是赫曼．赫塞的小說裡最難懂的一篇。

小說裡有一個人，一直試圖記錄他到東方的一趟旅程。可是這趟旅程非常神祕，不僅是空間上的旅程，也是時間上的旅程。他回到十二世紀，到了許多稀奇古怪的地方。更奇怪的一件事，是當他展開東方之旅的時候，人家就告訴他說，這個東方之旅絕對不能被記錄。要紀錄這趟東方之旅，註定會失敗。可是他覺得這個東方之旅對他如此具啟發性、如此重要，非記錄下來不可。所以小說就是在寫這個人如何試圖記錄東方之旅，以及在試圖記錄、在尋找資料的過程中，如何不斷地挫敗。而他最後因此在旅途中，被其中一個失蹤的僕人，帶進到另一個更大的、更神祕的國度裡。

這一篇神祕的小說，描述的不僅是那一趟東方之旅的不可言說性，還隱約指出了，人生和語言當中，有一種根本的矛盾與差距。有一些東西，你一旦把它說出來，它就不是那個東西了。對赫塞來說，西方式的語言，或說分析式的概念，會破壞整全的經驗。

這就又帶出了經驗與知識之間的衝突。《東方之旅》重複了赫曼·赫塞的作品中一直關注的主題——我們如何棄絕知識，或者說如何認清知識、回歸經驗。這是他第一次清楚地利用東方與西方之間的差異，來傳達這個主題。換句話說，《東方之旅》總結了他之前一直在追求的東西。原本西方社會走的是一條分析的路，利用分析、利用強大的理性能力，讓我們認識了很多事情。可是當這個分析的能力，幫我們認識了周遭的所有東西，我們卻發現有一樣東西一直在逃避著分析之刀的刺探，那就是分析的主體——自我。

自我是沒有辦法分析的，或者說，自我是無法在分析之後得到清楚圖像的。

第一次世界大戰後，赫曼．赫塞和他太太兩人都經歷了精神崩潰。這一次崩潰發生時，赫曼．赫塞年紀比較大了，可以自己處理。他處理的手段之一就是跟太太瑪莉亞在一九二〇年離婚。另一項手段則是他大量閱讀精神分析的文獻。其中當然包括了佛洛伊德，不過他並沒有被佛洛伊德說服，而是接受了榮格（Karl G. Jung）的理論。

榮格本來是布魯勒（Paul Eugen Bleuler）的學生，後來因為布魯勒十分信服佛洛伊德，跟佛洛伊德合作，也把榮格帶到佛洛伊德那邊去。第一屆國際精神分析學會的會長，就是佛洛伊德建議由榮格擔任的。可是榮格對於精神分析的看法，很快地就和佛洛伊德有了嚴重分歧。兩個人除了相信精神分析是有用的，以及相信人有一個表面的顯意識所看不到的東西之外，大概也就沒有什麼重疊了。

他們雖然有師生關係，但在一些很根本的信念上，兩人主張完全不同。佛洛伊德強調，人的潛意識是一種「心理經濟」（psychic economy）的模式。也就是說，人在一種經濟學的考量底下，為了要處理幼年、童年的經驗，所以就進行壓抑，而壓抑則造成了潛意識。換句話說，每個人的潛意識都是一種經驗的產物，我們要挖掘潛意識，就要去把被壓抑的經驗與記憶挖掘回來。

可是榮格認為，人的潛意識基本上是集體性的，來自於一種非常神祕的原型。這是潛藏在所有人類共同意識底層、一種神話性的東西。這裡面有一個陰性的 Animus，一個陽性的 Anima，一個陰性的力量跟一個陽性的力量作為原型，彼此互動而產生了種種的掙扎與衝突，才形成了我們的潛意識。榮格的理論有一個好處，是它離開了個人的生活，提供了不需挖掘自己就可以理解潛意識的方法。要理解潛意識，可能比較需要知道的是神話以及儀式之類的東西。

有一段時間榮格的心理學和人類學結合在一起，對藝術家造成了很大的影響。赫曼．赫塞也在受影響之列。對佛洛伊德來說，人重新變回一個完整的人，是不可思議的，或者說，那是沒有道理的。當人出現病症時，精神分析可以幫你減輕你的症狀，可是精神分析永遠沒有辦法讓你的潛意識變成顯意識，或者讓你完全沒有潛意識的黑暗。

但是榮格的理論卻可以往這個方向傾斜。也就是說你可以透過各種方式，把你的潛意識變成可以了解的東西，而與顯意識合流。榮格的理論通俗化之後，就被解釋為人的理性與非理性或是理性與感性，可以進一步結合，成為一個完整的人。

赫曼．赫塞一直都在追求自我的意義，以及這個自我怎麼去對抗環境、去跟周遭的環境區別。所以他從榮格那裡得到的一個基本概念就是，人是可以變完整的。

應該這麼說，第一個前提是，我們現在所過的日子，尤其是在以分析為主導的知識底下，使我們變成不健全的、殘破的。可是我們有希望把我們自己的生活、把我們個人變回完整。只是在變得完整的過程中，你要克服種種誘惑。這個誘惑不是慾望的誘惑，而是分析的誘惑，說明以及知識的誘惑。

《東方之旅》所要講的就是，如果你有那麼大的衝動，想要知道自己是什麼，那當你一開始知道、記錄你是什麼，你就不再是原來的你自己了。所以如何屏除過度理性的語言和方式，去碰觸到那個不可被記錄的東西，是最大的難題。如果能夠找得到解答，自我就能夠昂然地建立起來。

赫曼．赫塞顯然在這個問題上，經歷過很多思考、困難，並且不斷地找尋答案。從他出版《東方之旅》到《玻璃珠遊戲》，這一直是他生命中最大的問題。而他之所以能將《玻璃珠遊戲》寫完，事實上也就意味著他找到了那個終極的答案。

他繞了一個大彎才找到這個答案，他繞到十八世紀末、十九世紀初一個重要的德國哲學家身上，他在席勒（Friedrich von Shiller）的哲學裡找到了答案。

56

赫曼．赫塞晚期小說《玻璃珠遊戲》很龐大很複雜，包含了許多哲學論辯。其思想基礎是席勒的哲學，以及席勒對美學的概念與解說。要了解《玻璃珠遊戲》的話，應該看席勒的《關於人的美學教育》（*On the Aesthetic Education of Man*）。席勒的哲學裡有很多面向，但其中一個面向最容易用來理解《玻璃珠遊戲》。那就是席勒主張，人最根源的力量是「遊戲的本能」（play impulse）。人真正最純粹的力量是遊戲的力量，在遊戲中我們才得到作為一個人最根本的東西。為什麼是遊戲？因為遊戲沒有目的，因為遊戲沒有算計，因為遊戲可以超越很多東西。

席勒說：遊戲可以作為我們的感官、感受跟理性知覺之間的中介，也可以作為理智想像和實踐意志之間的中介，還是外在與內在世界之間的中介。遊戲是具象與抽象之間的中介，是現實跟分析之間的中介，遊戲同時提供了抽象跟具象、現實與分析之間的整合。遊戲將我們的內在需求，投射到外在世界，讓外在世界與內在世界，同時獲得澄清。遊戲讓我們在保有混亂的同時，看到了模式。遊戲釋放野性，卻又不讓我們的野性失去控制。遊戲一邊讓我們和別人互動，一邊又感到自我滿足。

這是席勒對於遊戲的界定。他想要告訴我們：被分化了的人變成理性的工具，所受到最大的傷害，就是你不懂得什麼叫遊戲。一切都被區分開來，外在就是外在，內在就是內在，感官就是感官，理性就是理性。我們原來可以把這些東西整合的。在遊戲中達到的最高整合狀態，被我們完全遺忘了。

《玻璃珠遊戲》可以說是對席勒哲學的一番轉寫。《玻璃珠遊戲》寫的是一個「玻璃珠遊戲」大師的生平故事。這是一個未來故事，赫曼·赫塞說，這應該是在二四〇〇年寫的，但是他把它改成二十世紀後期的某一個時間點，一小群菁英團體，透過一種很奇特的遊戲「玻璃珠遊戲」，將所有的精神元素結合在一起。

「玻璃珠遊戲」是一個高度理想化的遊戲，是席勒所說的遊戲精神的具體呈現。那個遊戲包含了音樂、哲學、神學以及幾何。所有人類精神中最好的東西，都融會在這個遊戲裡面，可是它沒有任何目的。在無目的中，人建立成為一個完全的整體。

《玻璃珠遊戲》在一九四三年出版，赫曼·赫塞在一九四六年得到了諾貝爾文學獎。諾貝爾獎的贊辭中特別提到他的詩集以及這本《玻璃珠遊戲》。如果將這本書跟赫曼·赫塞之前的作品合起來看，我們就可以看出赫曼·赫塞文學作品幾項重大的意義。

其中一項意義是，反現代文明的一股力量。他將史賓格勒傳下來的悲觀，做了清楚的釐定。赫曼・赫塞認為西方世界出了嚴重的問題，就是理性過剩。理性瀰漫在每一個地方，破壞了我們的生活。因為理性過剩、因為高度分工，使得我們都變成殘缺的人，每一個人都失去了感受的力量，被工作變成了一個個小螺絲釘。我們被金錢系統所宰制，失去了不依賴金錢去評斷所有事物價值的能力。

第二，他提出了一個治療理性過剩的方法。一方面是將人重新整合回來，重點就是逆轉知識與經驗的優先性。知識不可能取代經驗。即便聽了釋迦牟尼最智慧的語言，悉達多也還是要到最凡俗的地方，去過那種生活，自己去了解到財富、慾望與性能夠帶給他的，不過像是一隻死在籠子裡的鳥的那種生命力而已。他一定要自己去體會了解這件事。

赫曼・赫塞另一項重要的貢獻是，他將這些東西刻畫成為東方。先前說過《玻璃珠遊戲》的獻詞，是「寫給到東方朝聖的人」。書中也有很多向東方致敬的片段，比方說寫到老子等等。他認為，救治西方世界理性過剩的文明病，得向東方學習。我們要學習悉達多、要學習釋迦牟尼，要學習東方的一種「不分別」，一種不用理性去分別的方法，以及不用理性去述說的態度。這樣才能回到席勒要我們了解的那種「遊戲本能」。

透過赫曼・赫塞的作品，浮現出一種西方人對於東方的想像。

西方人如何想像東方，當然有很多不同的層次。例如說薩伊德（Edward Said）的《東方主義》（*Orientalism*）。這本書的「東方」指的不是遠東的我們，而是近東。西方人和薩伊德所講的「東方」有很緊張的關係。因為地理上的緊鄰、宗教上的衝突，再加上非常複雜的帝國主義侵略征服。

「東方主義」有一部分複製在西方看待遠東的態度上，例如說中國、日本、印度。但還有一些東西是不能複製的。例如說，因為中國夠遠，所以中國在歷史上，曾有幾次被西方知識分子拿來當作批判自己社會的理想典型。在啟蒙主義時代，孔子很了不起，他是一個哲學家皇帝。他們說，我們西方人很早就提出哲學家皇帝的概念，可是我們真是沒有用，柏拉圖講的我們都沒有實踐過，人家中國很早就實踐了，而且從此之後一直都是這樣實踐。這就是當時伏爾泰等人帶給法國人的印象。可是等到西方的帝國主義進來的時候，東方又變成一個非常腐敗的象徵。

赫曼．赫塞最大的貢獻，是透過他的作品，呈現了另一個東方圖像。他筆下的東方，既不是由哲學家皇帝統治的理想大地，也不是腐敗落後、應該被征服的地方。他將這兩種印象做了調和，並且解釋為什麼東方是今天的東方。東方人為什麼這麼容易被西方人征服？東方人為什麼看起來這麼沒用？因為東方人根本就不在意你所在意的這些理性物質分析的東西。

東方人追求的是一種神祕的、整全的生活。換句話說，赫塞呈現了「東方精神勝利」論點。東方是精神的泉源，如果你把那裡的人都殺光了，那會是你自己的損失，因為你就沒有辦法理解在西方如此分化之前，人還可以有各種不同的、精神生活的存在。所以在二次世界大戰之後，赫曼．赫塞透過這些小說，塑造出一個可以解決西方悲哀、值得學習的東方。他那隱晦而充滿藝術的表達方式，則為他在一九四六年贏得了諾貝爾文學獎。

可是要到一九六〇年代，他在英語世界才開始大紅特紅。因為六〇年代毛澤東革命啟發了學生運動，也因為學生運動對於東方的興趣，接下來所有的嬉皮都稱自己是「禪宗觀念論者」（Zen Idealist）。當時鈴木大拙的《禪學隨筆》變成英語世界裡年輕人人手一本、非讀不可的書。以禪宗作為代表的東方於是興起了。這跟赫曼・赫塞所塑造的東方形象不謀而和。所以他的小說在嬉皮世代也大為流行。因此在受到美國文化影響的台灣也跟著大流行，也才會讓赫曼・赫塞成為影響了我們這一輩成長的重要作家。

57

在一個媒體時代，我們如何認識霍布斯邦？

霍布斯邦在他的自傳《趣味橫生的時代》（*Interesting Times*）中給了答案：沒有耐心的媒體通常只會提兩件事——霍布斯邦是位一生都在大學裡教書的歷史學家，卻又在英國共產黨裡維持了半世紀的黨員身分。

媒體會這樣提，不是沒有道理。歷史學家身分引不起人家什麼好奇，英國共產黨黨員身分卻會。曾經入黨、曾經跟共產黨有過關係的知識分子還蠻多的，尤其是年輕時懷抱熱情理想的知識分子，可是年輕時入黨，到年老卻沒有退黨、不曾退黨的共黨知識分子有多少？

很少很少，很稀奇很稀奇。霍布斯邦待在英國共產黨的半世紀中，他的政黨從來沒有執政過，甚至從來沒有過一點點的執政機會。不像在蘇聯在東歐或中國，共產黨是統治政權掌握者，入黨作黨員可以享特權分配政治資源，英國共產黨員幾十年內一直都是社會上的極少數，非但分不到任何好處，還飽受別人的青白眼看待。

霍布斯邦作共產黨員的五十年中，世界有多大的變化，共產主義運動又有了多大的變化！這中間經歷了第二次世界大戰、經歷了美蘇的冷戰對立、經歷了赫魯雪夫對史達林的鞭屍清算、經歷了柏林圍牆倒塌、蘇聯集團瓦解。每一次變化，都有害而無助於一個英國人、一個清醒理性的英國人留在共產黨內，繼續當共產黨員。

第二次世界大戰徹底終結歐洲的帝國版圖，想要建立普世帝國的美夢破滅了，取而代之的是多元破碎的新國際現實。冷戰結構形成中，英國明確選擇和美國站在同一邊，還由英國首相邱吉爾提供了「鐵幕」說法，以「極權主義」定位蘇聯政權。隨後美國陷入「麥卡錫主義」的白色恐怖中，只要被懷疑可能和「紅色」——左派思想與共產黨活動——沾上邊的人，都遭到無情的調查與打壓，美國共產黨徹底瓦解，英國共產黨的遭遇也好不到哪裡去。

更何況接著還有來自蘇聯內部的黑暗訊息。赫魯雪夫在一九五五年揭露了史達林的種種罪狀，包括用血腥手段清算黨內同志，在蘇聯內部廣設集中營對人民進行大規模拘留與勞動改造。蘇聯非但不是共產主義天堂，還顯露出邪惡地獄的猙獰面孔。除非眼睛壞掉看不見這個真相，或頭殼壞掉不承認這個真相，怎麼會有人面對真相還可以不和共產黨保持距離、甚至劃清界線？

然而我們明白知道，霍布斯邦眼睛沒有壞掉、頭殼也沒有壞掉。在他的歷史作品裡，表現出最敏銳的觀察能力，也表現出第一流的理性分析風格。他必須是個再理性再清醒不過的人，才能寫得出那樣的歷史著作。

58

霍布斯邦顯現為巨大、稀奇的矛盾衝突。他不是個被熱情沖昏頭的叛逆者，為了叛逆任性的衝動，選擇特立獨行與眾不同，可是如此冷靜細膩思考的人，怎麼可能依憑自我意志決定當了五十年的共產黨員？

這個矛盾衝突比任何力量更決定性地主宰霍布斯邦一生的事業與努力。聽明如霍布斯邦者，自己再清楚不過別人眼中的這項矛盾，但一路走來他的選擇都不是依照別人的期望「解決」矛盾，捨棄歷史成為狂熱的共產主義基本教義派，或更容易地捨棄共產黨共產主義成為優雅又有地位的史學大師。他反而不斷地提出說明，解釋自己身上的矛盾，內在有其邏輯有其合理性。

從一個意義上看，霍布斯邦一生的著作與活動，就是環繞這個矛盾提供種種答案。從歷史和價值兩個層面，試圖說服與其同時代的人，做一個清醒冷靜的共產黨員不只可能，而且應當。

一些答案要在歷史中求取，尤其是十九世紀歐洲的歷史，重回共產主義的思想誕生淵源。不了解十九世紀，無從理解二十世紀，至少無從理解霍布斯邦生命情調賴以形成的那個二十世紀。霍布斯邦以「十九世紀三部曲」（即《革命的年代》〔*The Age of Revolution*〕、《資本的年代》〔*The Age of Capital*〕、《帝國的年代》〔*The Age of Empire*〕）奠定其史學界聲名。

這三部曲看似客觀平鋪的敘述中，其實藏著霍氏獨特的關懷與洞見。貫穿三部曲始終沒有模糊焦點的，是以十九世紀歷史發展來解釋二十世紀的用心。

十九世紀歐洲出現並發展了三項人類的新鮮創造——工業、資本與帝國，霍布斯邦一一縷述這三項巨大集體力量的成形與變形，鋪排出經這三股力量洗禮衝擊之後的世界新面貌。

寫完「十九世紀三部曲」，霍布斯邦才有辦法說明他的二十世紀現實觀。他寫了另外一部經典大作《極端的年代》（*The Age of Exeremes*），書名裡就乾脆點出了他眼中二十世紀最重要的兩種個性。一方面，二十世紀人類將十九世紀發展的工業、資本、帝國力量，推至極端階段；另一方面，工業、資本與帝國的極端過度發展，也給二十世紀帶來了各式各樣極端的狀況，極端到接近荒謬非理性程度的殘酷、血腥、狂亂、騷動、沉淪與麻木。

從十九世紀變化的開端走到二十世紀變化的極端，活在這種歷史情境下的人類，有了很不一樣的經驗。幾乎所有過去被視為不變、當然的事物與原則，在這兩個世紀間都無法繼續維持原貌。不只是世界在變化，更重要的是，人們開始相信沒有什麼是不變的。然而與此同時，工業、資本、帝國又悄悄地在建構、伸張其真理性。它們代替了上帝、甚至代替了道德，成為某種不言而喻毋需解釋的必然主宰，提供了變動幻滅世界觀裡新的「普世嚮往」。

共產主義不是單純對應於資本主義產生的。共產主義同時呼應並對應工業、資本、帝國三種時代新價值。馬克思提出了對於工業生產關係新的、非資本式的安排，其後的共產主義運動者更在共產主義上建立起一個抵抗帝國主義的世界主義。「工人無祖國」不是錯誤的現實描述，而是熱情的反抗策略，浪漫地想像所有工人跨越國界團結起來，結成全世界性的運動兄弟，就能抵制資本家串聯勢力，也能抵制傲慢擴張中的帝國與帝國主義。

共產主義既是十九世紀歷史的反動，也依然還是十九世紀歷史的產物。共產主義和十九世紀其他潮流一樣，具備了變化的信心，與對不變普世價值的追求熱情。

前者是共產主義的革命傳統，後者則是共產主義宣稱的科學基礎。馬克思開啟其端，共產主義從來就不只是一項「主張」、一項「期待」，而是經過「科學」研究過程得到的答案。這答案預示了人類的未來，必將一步步趨近平等、自由、博愛的共產天堂。革命的前提是這變化必然到來，事物不可能維持在當下狀況不改變，革命行動就是參與、促進這變化過程的努力。

59

霍布斯邦視自己為「第一代共產黨員的尾端」，換句話說，是受十九世紀瑰麗的共產主義美夢吸引而加入的那一代共產黨員。對霍布斯邦那代共產黨員而言，共產主義仍然具備了既是科學又是奇蹟的神妙雙重性。共產主義天堂當然是人類歷史上前所未見的奇蹟，但弔詭地，馬克思卻又論證共產主義天堂是整理歷史軌跡得到的科學結論。那麼共產黨是什麼呢？共產黨是科學地組織起來的奇蹟製造機。

第一代的共產黨員最是清楚感受共產黨的兩大鐵律：「黨的決策必須貫徹執行」、「黨的紀律高於一切」。個人願意放棄自我意識，服膺黨的決策黨的紀律，因為他們深信透過這樣的自我犧牲，他們可以參與創造奇蹟的行列。而且環顧周遭，他們看到從十九世紀末到二十世紀初，少數共產黨員藉由集體決策、紀律，在各地紛紛獲致的勝利。

沒有比一九一七年蘇聯「十月革命」更大的勝利了。歐洲最龐大又最落後的王朝政權，竟然被人數極少的列寧「先鋒黨」推翻了，在羅曼諾夫王朝的廢墟上進行快速共產化、工業化的實驗，得到驚人成績。令人意外的成就，多麼振奮人心！用區區個人自由為代價，可以換來偌大的歷史成就，多麼划算！更何況在黨的決策與黨的紀律下犧牲自我，還能換來緊密溫暖的團體認同。這層精神與心理報償，必然對霍布斯邦產生極大的誘惑。

霍布斯邦不是個平常正常的英國人。他的母親是奧地利人，他在埃及出生，然後在維也納和柏林長大。他身上還帶著明確的猶太血統，而且進入青少年時期前，就父母雙亡成為孤兒。所有這些條件都指向霍布斯邦無法穩固地定著於一個地方一個國家一種身分認同上。他在反猶主義氣氛愈來愈濃的德國長大，靠著承襲自爸爸的英國國籍才免於受到迫害。他一直到一九三三年，十六歲時才移居英國，即使到了英國，他還儘量維持用德文寫日記的習慣，生怕自己忘掉了如何使用德文。

我們可以理解，歷經家族多次生離死別，從柏林移居到英國，十六歲的霍布斯邦該有多不習慣多不適應。他克服陌生感，克服別人對他的排斥敵意的方式之一，是採取一種睥睨英國學校同學的態度。他覺得同年齡的英國人如此幼稚，尤其是政治意見與政治立場上格外幼稚。不像他在德國早早就經歷了左右派政治思想的沖激震盪，並且形成了自己左傾、與共產黨接近的選擇，如此更加深了政治思考在他生命中的分量。

共產黨、黨內活動、黨內團結意識，是霍布斯邦後天自我打造的家。他在這裡一方面維繫和歐陸生命前期經驗的關係，一方面藉以突破用各種形式包圍他的「孤島意識」。

沒有共產黨，霍布斯邦的生命風格無從形成，更無從想像。作為一個孤兒，沒有家庭可供庇蔭，勉強依附的親戚又是處於社會邊緣的猶太人，霍布斯邦最早的教育教養，就是靠接近左派團體才得以進行的。不只是他，所有那一代的歐洲工人子弟，都需要靠左派團體與共產黨灌輸他們一種超越階級界線的廣大世界觀，幫助他們跨過狹仄的生活藩籬，眺望到外面豐富、熱鬧的社會與文明現象。

連唯一的妹妹都早早被帶去南美洲定居，身邊沒有家人的霍布斯邦更需要在黨裡獲取類似親情的感受。一九五六年國際共產運動陷入最低潮時，霍布斯邦一針見血地反省到：以自由、平等、博愛為目的的革命，沒有哪一個真的最終實現了自由、平等、博愛。然而在革命的過程中，參與在革命中的少數同志，卻最有機會體驗到深刻的自由、平等，尤其是博愛。那過程中的崇高經驗，或許比革命的終極結果更重要、更有價值。體會了革命過程給予他的博愛感動，霍布斯邦才得以克服生命條件帶來孤島般存在惶惑，定著在世界上。

60

沒有任何人比霍布斯邦更清楚孤島流離的處境，也就沒有任何人比霍布斯邦將十九、二十世紀歐洲文明的歷程，看得更透徹。基於同樣的關懷，我們進一步可以掌握，為什麼霍布斯邦會寫出《盜匪》（*Bandits*）那樣精采的書，還有為什麼霍布斯邦一生是個爵士樂迷，還曾經用筆名出版過討論爵士樂的書。

《盜匪》承襲前作《原始的叛亂》（*Primitive Rebels*）提出的歷史課題，整理不同文明不同社會裡，一些劫富濟貧、騷擾破壞社會秩序的「盜匪」。從羅賓漢到梁山泊好漢身上，霍布斯邦看到的是一群群流離者，他們無法接受無法適應主流社會處理、解決公平正義問題的方式，所以他們試圖用素樸、原始的反叛手段，介入、甚至改造社會資源與權力的分配。從外界的眼光，他們是「盜匪」，但若是換從這些團體內部的自我認知來看呢？他們或許比較接近革命者、革命團體吧！我們甚至可以再推前一步說，像進行革命過程的共產黨，像沒有取得權力、沒有執政的共產黨。

別人可能覺得英國共產黨始終無法執政，幹嘛還留在裡面？對霍布斯邦而言，英國共產黨始終不執政、不能執政，卻才是讓他能一直留在黨內的理由。無法執政的共產黨保留了「盜匪」般的「原始叛亂」性質，並在「原始叛亂」

的公平正義素樸追求中，凝聚革命情感。

霍布斯邦個性中有著強烈的自尊，也有濃厚的義氣，他看多了那些從共產黨裡離開的人，一翻轉把共產黨與共產主義批評得不只一文不值，簡直邪惡萬分。他做不出這種不夠義氣的的背叛，更要命的，他無論如何不願讓自己跟這種背棄少年理想夢想的人為伍。

幾十年來，與英國社會不斷齟齬拮抗，用歷史研究與史觀挑戰既有價值，反映了霍布斯邦內在的自由精神躍動。他不能、不要按照寫好的曲譜演出，他要自己即興搖擺的空間。同時幾十年內卻始終對共產黨與革命情感不離不棄，又反映了霍布斯邦生命中的固執結構。再大的即興天分，只在這固執固定結構上跳動、挑釁。難怪他是個爵士樂迷，永遠對那既有固定模式又充分即興流動的「小人物音樂」著迷。

61

一九五五年二月二十八號，一艘哥倫比亞的軍艦「據說」在加勒比海遇上風暴，意外中一共有八名水兵墜海，七名溺斃，僅一名在海上漂流十天後奇蹟般生還。

這件事在哥倫比亞首都波哥大引起極大震撼，所有媒體都報導了；不過，波哥大的媒體如同台灣的，三天後大家就遺忘了該名生還者。但，當時波哥大的第二大報《觀察家報》（*El Espectador*）的一位記者，卻在兩個半月後，向報社提出採訪生還水兵的構想。

此舉自然令總編輯為難，因為媒體和文學最大的差別即在於它的時間感，但由於那位記者前一年寫了一篇非常轟動的報導，在報社當紅，於是便同意他去嘗試，並等著看會有什麼樣的成果出來？

其實，可以想見那位總編對此次採訪完全沒有期待，然而這名記者果真找到了生還者，並且花了十四次、每次平均四小時對他進行訪談。起初，水兵不斷吹噓自己的英勇，可是就在第一回採訪將結束之際，記者突然問他：你在木筏上是如何解決小便的問題？剎那間，水兵崩潰了，因為他心底明白記者對他所言沒有一句相信。

在之後超過五十個小時的訪問中，記者鉅細靡遺地問清楚這十天中的一切一切：是怎麼掉到海裡、掉下後第一個反應是什麼？……隨即在報上發表了〈我的歷險記實〉，寫到第六天，總編輯走到記者的桌前問他還要寫多久？他尷尬的回答預計一共要寫十六天，總編輯的表情非常驚訝，但更令人驚訝的是他說：「不對！你應該要寫五十天。」

發生了什麼事？原來，在六天中，《觀察家報》的印量增加了一倍，而那位記者名字叫 Gabriel García Márquez——一九八二年諾貝爾文學獎得主賈西亞．馬奎斯。我們必須問為什麼馬奎斯會對海上遇難的故事好奇？為什麼他能夠用這種方式問水兵並且挖出這麼多的故事？

說穿了，那是因為一九五五年全世界最受矚目的文學作品剛好就是馬奎斯當時最崇拜的小說家寫的——海明威（Ernest Hemingway）的《老人與海》（*The*

Old Man and the Sea）。可以想見，馬奎斯對這本書反覆閱讀了多少回！而能夠把《老人與海》熟背於心的人，他會知道海洋是怎麼一回事。

但，更重要的是，為什麼海上歷險故事足以讓報份在六天中多增加一倍？要解答這個問題只能找到一個歷史性的因素，也就是西方從十六、十七世紀開始，海洋探險已成為其文明中非常重要的元素，意即大部分在西方文化影響下的人對於海洋，有一種已經內在於他們文明社會裡的想像和期待。

而這件事的後續出現了原本完全無法預料的結果，因為經過馬奎斯的追查，發現事實是：海上根本沒有暴風雨，而是軍艦甲板上堆放了太多走私貨物，貨箱鬆開，連帶把八名水兵撞入海中！馬奎斯的報導必然得罪哥倫比亞的獨裁政府，隔年《觀察家報》隨而被查封，當時馬奎斯在歐洲當特派員，流困於巴黎，從名記者變成流亡作家，這期間他完成了第一部代表作《沒人寫信給上校》（*El coronel no tiene quien le escriba*）。馬奎斯的悲劇成了文學界的喜劇。

整個西方書寫和文學傳統出現的重大改變，來自海洋。所以對西方的理解，絕對不能忽略海洋大冒險時代。在那個時代，海洋逼迫、誘引著西方人重新認識自然。演化上，人類花了幾百萬年的時間從海洋上到陸地，一切的身體構造都是適應陸地生活的，但是十五、六世紀的西方，卻有一群人要回到海上，當他們到海上後，對於人是什麼、以及人跟他周圍環境的關係就完全改變了。海洋再度把人類所認知的世界變成未知，每一次從港口出發，就是為了去發現從來不知道的地方、去看從來沒有看過的事物、以及從來沒有遇見過的人。

從十五世紀延續到十七、八世紀，西方的港口日復一日的儀式：當大船進港時，附近群眾都會集中到碼頭，他們並非是為了要迎接船隻，而是要去聽故事。同樣的，每艘從遠洋返回的船隻上也有儀式，那就是這次派誰去講故事，而你不可能不講故事，若不講故事就無人相信這艘船曾經真正遠行過。

當那些故事隨著波浪向陸上的耳朵湧送驚奇時，每個聽眾的眼睛都發亮了。我們要能夠想像，在那幾百年間，整個西方源自於對外來世界故事的好奇，不斷的在突破他們的文明，這就必然影響了文學和書寫。

最深刻的影響是對於大自然的感受，當人到海上跟大自然接觸，大自然不再是上帝造好給我們而我們即知的那一回事，人面對大自然時會出現一種好奇的態度，這占據了也改變了人跟大自然的關係、改變了人跟他周遭地景間的關係。

人面對地理、地景，不再是面對一個固定、已知的知識系統，所有新的地景豐富了人類的經驗，變成一門走在人類好奇心最前端的學問，並且進而改變了人與上帝的關係，因為最初在海洋大冒險時代，人認為上帝是多麼了不起，祂造了那麼多我們原來都不知道的事物。

62

十九世紀浪漫主義興起時，看待自然的態度有了重大轉折。在華滋華茨（William Wordsworth）這些作家筆下，自然取代了上帝，自然成為人類有限生命經驗中真正的超越，而那個超越又可以跟人內在的自我相呼應。

尤其，讀華滋華茨的詩後印象會非常深刻，他寫年少時在黑夜的湖上划船，感覺身後的山活了過來，像一雙巨大的眼睛在看著他；因為山在看他、一雙「自然」的眼睛，所以他才能感知、才能證明自己的存在，他不是這個時空中一個沒有辦法確定的、漂浮的一個點，山的眼睛將他定著住，那雙眼睛讓他變成一個人、讓他安全。雖然這中間充滿極度的恐懼，想像夜色中的山像頭怪獸追趕在後，卻也因為恐懼，生命才變得安全，才知道自己是誰、才知道自己和外在地景之間有什麼樣的關係。

過去的海洋大冒險，追求刺激和探險；到浪漫主義時期，則把原來對海洋、遠方的想像拉近來看生命的近景。此種對近景抱持同樣興奮和努力想去發現的態度，我以為是浪漫主義最大的貢獻。它讓本來再熟悉不過的地景重新陌生化，不管你在這個小城、在這個湖上經歷了多少時光，每一次每一次你像華滋華茨在黑夜的湖上划船，那整個地理環境便重新活過一次。為什麼？因為你每一次都是用一種浪漫、新的自我去看待這個地景，而那個浪漫、新的自我如果沒有這些地景，就沒有了著落；同樣，如果沒有這些浪漫、新的不斷變動的自我，地景也會形同靜態、死板。這是大自然的超我和人內在的自我之間永恆不斷的對話關係。

人擺脫了上帝，不管這過程多麼痛苦和曲折，到十九世紀後半二十世紀初，我們已能明顯看見：人在擺脫上帝後，如何更加的有自信，以自我的主觀意識去重新改寫、改造自然。

這裡最重要也最明顯的運動就是美術上的印象派。印象派是什麼？簡單說，就是從浪漫主義一路下來，人的主觀不斷膨脹，尤其是人面對外在環境時，人的主觀愈益重要，而印象派美學的重要根據是，如實描繪地景的意義並不大，因為如果人人都能看見此景，那麼當我將它如實記錄，不過是複製人人心頭皆有的東西。那有什麼比它更具價值的嗎？那具有價值的是——我，作為一個自我，我主觀看到的這個地景是別人所看不到、感受不到的，這中間有了主觀的介入。

每個印象派畫家都必然是高度主觀的，他不要如實再現外在地景，而是要捕捉內在主觀的印象。當主觀凌駕客觀，也就讓原來客觀存在地景的唯一性消失，因為每個人都會藉由主觀的眼睛看見不一樣的事物。所以到二十世紀，印象畫派在人的意識開出另一個可能性，導致了一個思想潮流：意識相對主義。

那麼，到底有沒有人人看起來都一模一樣的那棵樹的存在？而倘若每個人主觀中在那棵樹上看見不一樣的情景，那還能主張那棵樹是存在的嗎？所以，我們能不能不要在意、甚至不要去理會那棵樹的客觀存在為何？真正關鍵的是，我們的主觀已凌駕客觀，開出了一條主觀的地景之路。

63

對於自然，在中國有不同的表現方式。從宋代以降，中國美術裡最大的主流是文人畫，文人畫最重要的形式是水墨畫。有一個角度具有高度參考價值，那就是在面對文人畫裡的山水時，可以去思索：那是什麼樣的山水？在水墨文人畫裡中，我認為最重要的兩個原則是：「減色」和「減形」。

去看中國水墨畫時，你會懷疑中國古人的眼睛是否跟今人的構造不同？我們看到是彩色而他們眼中的是黑白，而實情自然不可能如此。這就是中國水墨畫最重要的傳統，它把大自然原本非常豐富的顏色予以單調化，把原來複雜的形狀予以簡化，所以「減色」和「減形」是中國文人感受、感知大自然的主要方法。

這和西方藝術表面上完全相反，但其內在卻共享了相同的態度，就是利用人類的主觀來對外在客觀存在的事物進行合理合法的改造；甚至認為若未經過主觀的改造，藝術就不成立。只不過在用主觀重新詮釋客觀存在、改造客觀地景這件事上，西方藝術走的是增色增形，將樹畫得比看得到的顏色更繁複、光影更美妙虛幻；而中國則倒過來，用主觀把色彩減去、把形狀簡化。

在「減色」「減形」情況下所反映出的心靈地景，我們當然了解，這種原則來自於物質上的缺憾，因為中國在顏料及畫法（視點）沒有像西方那樣的發展（沒有豐富的顏料），但中國的水墨畫卻把缺憾轉化成最大的資產。它憑藉的是什麼？是眼睛讓我們的主觀重新認知了大自然，甚至隱約主張只有在我們主觀的眼睛看待下，大自然才具有意義、才有真實的存在。

是故從這個角度，便更能理解陽明學和朱子學的根本爭議——格物致知和致良知。王陽明問：倘若有一朵花在深山自開自落無人目睹，可以稱那朵花還存在嗎？這個提問，後來在致良知學裡引起爭執，我以為是跟宋以下文人的傳統裡，人跟大自然之間的一種主觀介入有密切關聯。

也就是當面對大自然時，必然有作為主觀要去減色和減形的努力，如果不透過這套工夫，呈現的將是畫匠的作法，所以每個文人已經感知、甚至承認經過主觀改造的地景遠勝於客觀描述的地景。因此王陽明便抓住這一點：如果文明的價值是如此，那麼沒有機會經過主觀認知、改造、記錄與描述的大自然景象，它究竟還存在嗎？於是，這本來是個非常簡單的比喻，忽然間就觸動了集體心靈的焦慮，也揭示出中國文人傳統裡一種獨特的地景認知。

這與西方不同。西方也有高度唯心論的發展，如喬治．貝克萊（George Berkeley），他講人的主觀與物體存在間的關係，而他為什麼要去發展唯心論？他是一名基督傳道者，他是為了要證明：如果沒有上帝，這個世界會很恐怖。他舉的例子剛好可與王陽明的比喻相並討論，他說：這裡有一間屋子，屋子裡有桌椅，等一下人離開了，如何保證這些桌椅仍將繼續存在？而他的論證是，如果只靠人的意識無法保證東西的恆定存在，但幸好我們有了上帝，無所不在的祂幫我們看顧這一切，讓它們繼續存在。

貝克萊舉的是空房中桌椅的例子，王陽明的則是空山裡自開自落的花，從中顯示出兩種文明態度上的差異。

所有的青年文學工作者，永遠不要忘記你們是繼承這些傳統的人，也不要遺忘以上所言，意在提醒人類實是靠著不斷的洞見、創意和努力才得以讓人的主觀意識一步一步地轉化了周遭客觀的地景，而這就是文學的巨大貢獻。而此貢獻在不同時代、社會將發揮不同的作用，當這個文學傳統、文學成就發揮到淋漓盡致，便能訓練人人擁有更豐富的主觀感知能力，雖然外在的客觀世界非他所能改變，但他可以藉由自己的主觀去感受、去描述更豐富的地景，進而讓原來只存在於他主觀內在感受的地景變成具體的事實，傳達給另外的人，並且訓練其他人也能擁有這種主觀的能力。

我們到底活在什麼樣的環境，其實並不是取決於外在客觀的建物、街道、樹木、山色……，而是取決於我們有多大的決心來訓練自我的感官、有多大的野心開發自己的主觀。每個人能理解、能感受的地理環境其實是由他的主觀能力來決定。

我感慨的是這個社會、這個時代是一個主觀能力極度貧弱、極度不在意主觀感受能力的荒涼且荒謬的情境，人再也搞不清楚自我和周遭地理間的關係，大部分的人在台灣被矮化成為地理上的被決定因素：他是一個數字、是馬路上的一個點，他從來沒有辦法去擴張自我的主觀、用自我的主觀去創造豐美的地景。

依照我剛剛所說的文學傳統，那個傳統其實在試圖說服我們一件事，那就是豐美的地景只存在於傳說。這不是虛幻悲觀、也不是對現實的否認，這是對人類主觀能力的最高肯定。

豐美地景不是建築師、台北市長所能給予的，那種豐美地景只存在於少數具有強大主觀感知能力的人心中。而文學，幫助了我們把這些擁有高度主觀能力的人的內在想像地景給傳達出來、流傳下去，讓它變成了傳說。

於是，原來虛弱的心靈可以藉由文學去分享、更進一步去參與別人強大主觀感知下所創造出來的豐美地景的傳說，進而他也變成傳說的一部分，提升了自己和地景間的感知能力，也貢獻他對於地景新的傳說和想像。一代一代、一群一群，經過不斷的對話、不斷的互動，我們才能真正創造出活在傳說、活在文學裡的豐美地景；我們才不會一走出去永遠看到的是貧乏的客觀地理存在。

國家圖書館出版品預行編目(CIP)資料

烈焰：閱讀札記 I / 楊照著.
-- 臺北市：群星文化, 2015.06
面；　公分. -- (GoodDay ; 9)
ISBN 978-986-90296-8-1(第 1 冊：精裝)

1. 閱讀　2. 文集

019.107　　104008753

GoodDay 009

烈焰：閱讀札記 I

作　　者　楊照
責任編輯　戴偉傑
美術編輯　曾微雅
照片提供　YL
文字排版　宸遠彩藝

發 行 人　龐文真
執行總監　李逸文
執行副總編輯　李清瑞
資深行銷業務經理　尹子麟
商品企畫專員　余韋達

出　　版　群星文化
台北市106大安區忠孝東路三段247號4樓
讀者服務專線：02-2752-8616
http://ohreading.com
service@ohreading.com

總 經 銷　大和圖書有限公司　電話：02-8990-2588
法律顧問　益思科技法律事務所
印　　刷　通南彩色印刷有限公司
出版日期　2015年6月

定　　價　350元
ISBN 978-986-90296-8-1